français.com

Méthode
de français professionnel
et des affaires

Livre du professeur

Jean-Luc Penfornis

CLE
INTERNATIONAL

> « *L'enseignant est quelqu'un qui fait ce qu'il peut, dans des conditions pas toujours faciles, pour transmettre des connaissances, des habitudes de travail et de pensée qui sont les siennes, et auxquelles il a un peu réfléchi.* »
>
> Claude DUNETON

Mode d'emploi

Dans ce guide, vous trouverez :

– des suggestions d'exploitation des activités,

– des corrigés de ces activités,

– des informations complémentaires sur la civilisation, la culture, les savoir-faire.

---

4   hôtel

1 Choisir un hôtel (page 46 et 47)

A. Enquête
• Activités 1, 2, 3, page 46
Suggestions
Activité 1
Comme il est suggéré, cette activité permet d'étudier les pronoms relatifs simples. Les étudiants feront les exercices A et B situés à la fin du livre de l'élève (page 138) ainsi que ceux du cahier d'exercices (exercices 1 et 2, page 28). L'activité sera également l'occasion d'introduire le lexique utile dans des situations de communication se rapportant à l'hôtel : le confort, l'emplacement, la vue, etc.

Activité 2
Les étudiants commencent par écouter et remplissent le questionnaire à partir de la seule écoute. Puis il lisent le témoignage de Pierre.
Demandez-leur de rechercher les pronoms relatifs dans la déclaration de Pierre : *Ce que* je veux…, *ce qui* compte le plus…, la ville *où* je me trouve…
Savent-ils ce que veut dire « dormir comme un loir » ? Connaissent-ils d'autres expressions de ce type ?

Activité 3
À partir de cette activité, les étudiants expliqueront comment ils conçoivent un (bon) hôtel. Demandez-leur des précisions : Comment peut-on se distraire dans un hôtel ? Qu'est-ce qu'un hôtel cher ? Bon marché ? Confortable ? Qu'entend-on par un hôtel qu'on ne retrouve pas partout ? Qu'est-ce qu'un hôtel ancien ? Peu élevé ? Etc.

Corrigé
Activité 1
1a, 1b, 1c : où • 2 : Ce que • 3a : qui • 3b • qu' • 3c : qui • 4 : dont • 5 : ce qui • 6a, 6b, 6c, 6d : qui.

Activité 2
1a (Dormir est ce qui semble intéresser le plus Pierre, il dit aussi qu'il ne mange pas dans l'hôtel.) • 2c (Il veut être proche de ses clients.) • 3c (Il dit explicitement qu'il aime autant trouver une ambiance familiale.) • 4c (Il a le vertige.) • 5a (« Pour dormir, dit-il, ce qui compte le plus, c'est le matelas. ») • 6d (Il aime les gens souriants.).

Pour votre information
« **Loir**. Petit rongeur d'Europe méridionale et d'Asie Mineure, au pelage gris, hibernant, familier des maisons isolés (Long. 15 cm). *Dormir comme un loir*, longtemps et profondément. » (*Le Petit Larousse*)
On dort comme un loir, on mange comme un ogre, on boit comme un trou, on parle comme une pie, on crie comme un putois.

• 55 •

Tableau des contenus

		Guide pédagogique	Livre de l'élève	Cahier d'exercices
9. Prise de parole	**1. Pratiquer l'écoute active.**	Page 117	Page 106	Page 68
	2. Présenter des objections.	Page 118	Page 108	Page 70
	3. Faire une présentation.	Page 121	Page 110	Page 72
	4. Poser les bonnes questions.	Page 125	Page 112	Page 74
	À la croisée des cultures.	Page 127	Page 116	
10. Points de vue	**1. Lutter contre le chômage.**	Page 129	Page 118	Page 76
	2. Faire face à la mondialisation.	Page 133	Page 120	Page 78
	3. Comparer des modèles éducatifs.	Page 137	Page 122	Page 80
	4. Faire un tour de la presse.	Page 139	Page 124	Page 82
	À la croisée des cultures.	Page 143	Page 128	
	Faire le point	Page 145	Fin de chaque unité	Page 84
	Grammaire	Page 149	Page 129	Page 95 (index)
	Les expressions de la correspondance commerciale	Page 153	Page 146	–

Introduction

Français.com est une méthode de français tournée vers le voyage et le monde du travail. Elle est destinée à tous ceux, adolescents et adultes, qui ont ou auront à communiquer dans le cadre de contacts sociaux et professionnels avec des francophones. Elle couvre un champ de la langue qui se situe à l'articulation du français général et du français de spécialité.

C'est une méthode de français de niveau 2. Elle fait donc suite à toute méthode de français général de niveau 1 (100-120 heures d'apprentissage) et s'adresse à des apprenants de niveau intermédiaire, voire pré-intermédiaire – un niveau correspondant à la charnière des niveaux « survie » et « seuil » définis par le Conseil de l'Europe. Elle couvre une centaine d'heures d'apprentissage.

Objectifs

Français.com entend répondre à l'attente de nombreux professeurs et étudiants qui veulent disposer d'une méthode proposant l'apprentissage de la langue dans un objectif « utilitaire » et de façon vivante et authentique.

Français.com doit permettre à vos étudiants :
– de réactiver leurs acquis précédents,
– de maîtriser progressivement, au niveau défini, le fonctionnement et l'usage de la langue en leur faisant acquérir savoir et savoir-faire linguistiques et communicatifs dans les situations les plus courantes et les plus récurrentes de la vie sociale et professionnelle.

La méthode n'est pas spécifique à une profession déterminée ou à un secteur d'activité particulier. Elle concerne le monde du travail dans son ensemble et recouvre un champ de langue commun à tous ceux qui sont engagés dans la vie active. Les thèmes traités et les tâches à accomplir sont parmi les plus courants et les plus familiers. Ils peuvent être abordés par toute personne, quelles que soient sa formation et son expérience antérieure, car ils ne font pas appel à des savoirs et à des savoir-faire spécialisés.

Plus concrètement, *français.com* a pour objectif d'amener vos étudiants à :
– comprendre l'essentiel d'un message simple, en face à face ou au téléphone ;
– comprendre le sens général et les éléments essentiels d'articles de presse et de documents courants (lettres, fax, e-mails, factures, annonces, menus, emplois du temps, etc.) ;
– établir des contacts sociaux, décrire leur expérience, leur activité, échanger des informations, exprimer leur opinion, dire leurs préférences dans des situations pratiques et sur des sujets connus ;
– rédiger des messages courts, usuels, efficaces, en rapport avec une activité sociale et professionnelle.

En proposant des activités systématiques de compréhension et d'expression orales et écrites, *français.com* répond aux critères généraux définis par le DELF (Diplôme élémentaire de langue française), 1er degré.

Ce cours prépare par ailleurs au Certificat de français professionnel (CFP) de la Chambre de commerce et d'industrie de Paris (CCIP). L'ensemble des activités et ressources proposées peut également servir à la préparation du DFA 1 (Diplôme de français des affaires, niveau 1).

Matériel

L'ensemble pédagogique comprend :
– le livre de l'élève,
– un cahier d'exercices, accompagné d'un livret pour les corrigés,
– une cassette audio ou un CD audio,
– un guide pédagogique.

Organisation du cours

Le livre de l'élève contient :
– dix unités thématiques regroupant chacune quatre leçons ; chaque leçon est présentée sur une double page,
– une leçon de contrôle à la fin de chacune de ces dix unités,
et à la fin de l'ouvrage :
– un mémento de grammaire accompagné d'exercices,
– des tableaux des expressions de correspondance commerciale avec des exercices d'application,
– les consignes pour certains jeux de rôle,
– un lexique,
– la transcription des enregistrements.

Le cahier d'exercices fait partie intégrante de la méthode. Il suit la même progression et aborde les mêmes thèmes que le livre de l'élève. Il propose des exercices de vérification ou de renforcement des connaissances lexicales et grammaticales ainsi que des activités de compréhension écrite et orale et d'expression écrite. Comme dans le livre de l'élève, chaque leçon est présentée sur une double page.

Contenus

Français.com met en avant les actes de communication, sans toutefois négliger les contenus linguistiques.

• Contenus communicatifs

Les dix unités de *français.com* sont thématiques. Elles regroupent et permettent d'acquérir les *savoir-faire* essentiels pour obtenir une compétence de communication dans un environnement social et professionnel.

L'objectif global de la méthode (communiquer avec des francophones dans le cadre de contacts sociaux et professionnels) va se démultiplier en plusieurs objectifs spécifiques.

Prise de contact, agenda, voyages, hôtels, restauration, entreprises, travail, recherche d'emploi, prise de parole, points de vue... chacune des dix unités de l'ouvrage regroupe un ensemble d'objectifs et de savoir-faire propres à une situation de communication déterminée.

Accueillir un voyageur, engager une conversation téléphonique, prendre rendez-vous, passer commande dans un restaurant, prendre des notes, expliquer un itinéraire de métro, vérifier une note d'hôtel, rédiger une lettre de réclamation, rédiger un e-mail, comparer les conditions de vie et de travail d'un pays à l'autre, faire un exposé... les objectifs, les savoir-faire, les situations, les activités retenus par *français.com* se veulent authentiques, réalistes, pragmatiques.

• Contenus linguistiques
– Le lexique
Le lexique est introduit dans le cadre des situations de communication. Il contient les termes indispensables, mais suffisants à ce niveau, pour pouvoir communiquer dans les situations les plus courantes de la vie sociale et professionnelle. Ces termes ne font nullement appel, pour être compris et utilisés, à des connaissances particulières dans tel ou tel domaine du monde professionnel ou des affaires.

Dans le cahier d'exercices, et pour chaque leçon, une partie « Vocabulaire » permet de reprendre et de manier ce lexique au moyen d'exercices variés (appariement, textes à trous, QCM, etc.).

Les dix dernières pages du livre de l'élève sont consacrées au lexique : une page pour chacune des dix unités. Il y a environ 80 termes nouveaux par unité. Plutôt que de dresser une simple liste, de donner des définitions ou des traductions, *français.com* reprend les termes nouveaux dans des phrases. Chaque terme est employé dans le sens où il apparaît dans la leçon, mais dans une phrase différente. De cette façon, vos étudiants comprendront et mémoriseront plus facilement.

– La grammaire
Français.com faisant suite à toute méthode de français général de niveau 1, on peut supposer que vos étudiants auront déjà étudié les notions grammaticales élémentaires. Toutefois, afin de renforcer les acquis grammaticaux essentiels, *français.com* reprend la plupart de ces notions. Les points grammaticaux sont traités en fonction de leur utilité dans telle ou telle situation de communication.

Au sein des leçons, de petits tableaux donnent des exemples illustrant un point de grammaire. Vos étudiants découvrent ainsi par eux-mêmes, par un travail d'observation et de réflexion, les règles de fonctionnement de la langue. Face à ces tableaux, mais aussi et surtout à la fin de l'ouvrage et dans le **cahier d'exercices**, ils trouveront de nombreux exercices d'application.

La plupart de ces tableaux renvoient à des explications et à des exercices situés à la fin de l'ouvrage (« *Pour aller plus loin* »). Vos étudiants et vous-même n'aurez aucun mal à vous repérer. Vous trouverez :
– le cœur de la leçon sur une double page,
– et un matériel périphérique à la fin de l'ouvrage (grammaire, mais aussi expressions de la correspondance commerciale, lexique, consignes pour les jeux de rôle, transcription des enregistrements) ainsi que dans le cahier d'exercices.

Interculturel
Chacune des 10 unités du livre se termine par une page consacrée aux questions interculturelles. C'est la page « *À la croisée des cultures* ».

Français.com aborde ces questions en explorant des stéréotypes ou des incidents critiques. Ces pistes sont sans doute les plus riches et les plus prometteuses pour faire comprendre aux étudiants l'importance des aspects culturels en même temps qu'ils apprennent la langue. Un incident critique est une petite histoire relatant une rencontre entre personnes de cultures différentes. De cette rencontre naît un conflit qui peut provenir du fait que ces personnes appartiennent à des cultures différentes.

L'histoire rapporte des faits, décrit les attitudes, les sentiments, les attentes, les buts des protagonistes, et plante le décor. La situation est présentée à un moment de « crise ». Un problème se pose et il est urgent d'agir, de trouver une solution.

Des questions suivent, qui portent sur l'histoire. Elles ont pour but d'orienter vos étudiants, de leur faciliter la tâche, de canaliser leur recherche. Le plus souvent, ils trouveront des éléments de réponse dans les documents fournis.

Chacun de ces incidents critiques a trait au thème de l'unité. Par exemple, à la fin de l'unité « *Agenda* », il est question d'un problème de rendez-vous ; dans l'unité « *Restauration* », le conflit tourne autour d'une purée de pommes de terre. Ces histoires ont un aspect ludique et stimulant, qui est destiné à faciliter l'apprentissage et à aborder des questions complexes avec un peu d'humour et sans prétention. En cette matière, il faut se méfier des grandes théories intellectuelles.

Évidemment vos étudiants pourraient entamer une discussion et débattre d'une question culturelle sans la petite histoire. Chacun pourrait y aller de son anecdote. Mais on peut craindre que les anecdotes ne se répètent, que le groupe ne se retrouve vite à cours de matériaux, de structuration, d'instruments d'interaction.

Pour exploiter ces incidents critiques, il est recommandé de s'inspirer de la technique des études de cas (voir encadré page 16).

Principes méthodologiques

• Apprentissage par paliers

Comme il a été dit plus haut, chaque unité correspond à l'acquisition d'un savoir-faire global utilisable dans une situation réelle de communication. La leçon est présentée sur une double page en un ensemble complet et cohérent. Elle reste le module de travail et peut faire l'objet de deux ou trois séances de cours.

• Progression

Les unités et les leçons de *français.com* sont présentées selon une certaine *progression fonctionnelle, lexicale et grammaticale*. Globalement, les cinq premières unités sont d'un abord plus simple que les cinq dernières, et la première l'est plus que la deuxième, etc.

Dans chaque leçon la difficulté des activités est graduée. L'élève commence par des exercices de compréhension pour la découverte et le repérage d'éléments linguistiques sélectionnés, puis progressivement il est amené à réaliser des activités d'expression écrite et orale de plus en plus libres. Le travail de compréhension guide l'élève vers des activités de production. Il existe à l'intérieur de chaque unité et à l'intérieur de chaque leçon un fil conducteur qu'il est recommandé de suivre.

Une même structure grammaticale apparaît dans plusieurs leçons, en liaison avec différents actes de communication. À certains moments de l'apprentissage, il convient de travailler plus particulièrement tel ou tel point grammatical.

• Systématisation des outils linguistiques

Dans le mémento grammatical situé à la fin de l'ouvrage, les règles de grammaire sont expliquées de manière synthétique et structurée, au moyen d'une terminologie métalinguistique réduite et avec des exemples.

Ce mémento grammatical constitue une boîte à outils. Il y est fait des renvois explicites tout au long de l'ouvrage, mais vos étudiants peuvent également et à tout moment s'y reporter pour chercher ou vérifier un point de grammaire.

Ce mémento les aidera à mieux comprendre le fonctionnement de la langue, à faire des comparaisons avec leur langue maternelle, à s'approprier plus facilement les points de langue abordés et à mieux fixer leurs acquis.

De la même façon, les étudiants sont invités à se reporter au lexique de la fin de l'ouvrage, qui récapitule, en les utilisant dans des phrases, les mots nouveaux de chaque leçon.

Enfin, des exercices grammaticaux et lexicaux viennent constamment soutenir l'acquisition de compétences de communication.

• Prise en compte des quatre aptitudes

Les quatre aptitudes (CE, CO, EE, EO) ne sont négligées dans aucune leçon. Il est souvent demandé, comme dans les situations réelles de communication, de mettre simultanément en jeu plusieurs aptitudes. Il s'agit, par exemple, d'utiliser des informations dans des documents écrits pour produire à l'oral ou à l'écrit.

L'écrit est un support de travail et de mémorisation. Tous les dialogues et documents travaillés à l'oral sont transcrits dans le livre de l'élève, soit à l'intérieur de la leçon, soit – le plus souvent – à la fin de l'ouvrage.

• Variété et authenticité des supports

Français.com propose des documents, écrits et oraux, variés : lettres, fax, e-mails, compte rendus, extraits de rapports, notes de service, articles de presse, formulaires, tableaux, dialogues, graphiques, exposés, etc.

Pour la plupart, ils sont « semi-authentiques ». De tels documents ont l'avantage de s'insérer facilement dans un cours de langue et de faire apparaître de manière plus concentrée certains points de langue tout en présentant un caractère suffisamment vraisemblable pour être utilisés d'un point de vue communicatif.

L'authenticité de la communication repose d'ailleurs autant, voire davantage, sur les tâches ou activités qui sont proposées que sur les documents de départ.

• Apprentissage basé sur des tâches

– Des tâches précises. Chaque activité est constituée par une tâche à accomplir, un problème à résoudre à partir d'un support (texte, dialogue, etc.). À chaque tâche nouvelle accomplie correspond une acquisition nouvelle. Tout au long de la leçon et de l'unité, l'enseignant est guidé, tout comme l'étudiant, vers un objectif communicatif et linguistique bien identifié. Le formateur n'a pas besoin d'improviser. Ce qui ne l'empêche évidemment pas, ainsi guidé, de proposer en complément ou en renforcement ses propres activités et d'apporter toutes les explications qu'il juge utiles.

– Des tâches réalistes. Les exercices scolaires, éloignés des situations réelles, démotivent les élèves. Aussi faut-il veiller à ce que les activités proposées soient aussi authentiques que possible. Par exemple, *français.com* ne propose pas d'activités du style « commentaires d'images », qui sont éloignées de toute situation authentique. Dans le même sens, *français.com* évite de confronter les élèves à des situations qui seraient construites en dehors d'eux, dans lesquels ils devraient se projeter en réduisant au maximum leur dimension personnelle. Dans les jeux de rôle, par exemple, les participants conservent leur identité.

– Des tâches variées. Pourquoi ? Parce que les stratégies d'apprentissage sont diverses et qu'il convient de ne négliger aucun moyen. Parce qu'il vaut mieux, pour motiver les étudiants et pour entretenir cette motivation, éviter toute monotonie en mettant en place des procédures d'apprentissage diversifiées. Et enfin, parce que *français.com* s'efforce d'adapter le type d'activité au thème abordé et à l'objectif poursuivi. Dans chaque unité, l'étudiant retrouvera des types d'activités connus, mais il ne suivra pas un schéma répétitif.

– Des tâches stimulantes qui privilégient le sens, enjeu de la communication. Il n'est pas demandé aux étudiants d'acquérir des connaissances au moyen d'un seul travail mécanique, mais de travailler sur des énoncés auxquels ils peuvent apporter un sens. Ils doivent résoudre des problèmes, prendre des décisions, ce qui les amène à prendre en considération le contexte, à réfléchir sur le sens des documents et à utiliser des stratégies diverses. De telles activités, en donnant accès à des connaissances extralinguistiques, favorisent de réels échanges au sein de la classe, et ces échanges sont indispensables pour développer une compétence de communication. Ils constituent un facteur important de motivation pour l'apprentissage. *Français.com* propose ainsi de nombreuses études de cas.

La méthode des cas : quelques suggestions

Selon cette technique, les étudiants sont confrontés à une situation concrète et problématique, qu'ils doivent analyser pour aboutir à une solution. Il est recommandé de suivre les étapes suivantes :

• **Former des groupes**
De deux à quatre personnes. L'étude de cas se fait en équipe : c'est un travail collectif. L'enseignant, ou plutôt l'animateur que vous êtes, devez indiquer clairement l'objet et l'objectif de cette activité.

• **Comprendre l'histoire**
De quoi s'agit-il ? Ai-je bien compris ? C'est la découverte du cas. Chacun lit. Puis on met en commun. Avant de passer à l'étape suivante, assurez-vous que l'histoire est comprise de tous.

• **Analyser le problème, trouver des solutions**
Quels sont les problèmes ? Quels en sont les causes ? Que faut-il faire ? Pourquoi ? Les étudiants répondent, par groupes, aux questions. Il est préférable, mais pas indispensable, qu'ils débattent en français au sein de leur groupe. La mise en commun, en tout cas, doit se faire en français.

• **Mettre en commun**
La classe essaye de se mettre d'accord sur l'identification du ou des problèmes et sur une ou des solutions communes. L'exercice ne consiste pas à défendre son point de vue à tout prix, mais au contraire, à s'enrichir des idées des autres. On a dix fois plus d'idées à dix que tout seul et on ne doit éprouver aucune honte à changer d'avis. Le but est de parvenir ensemble à la meilleure solution. Le but est aussi d'apprendre à travailler en groupe. Le professeur a un rôle d'animateur. Contentez-vous de gérer les temps de parole, de susciter les réactions, de résumer ce qui a été dit, d'orienter, etc. Ce n'est pas à vous, mais aux étudiants, de proposer une solution.

• **Tirer la leçon de l'histoire**
Le cas échéant, on peut dégager quelques principes qui ressortent de l'étude de cas. C'est, en quelque sorte, la morale de l'histoire.

• **Prolonger le cas**
Vous pouvez toujours prolonger un cas en modifiant l'une de ces composantes (Que se serait-il passé si... ?) ou en demandant à vos étudiants de réaliser des tâches supplémentaires (rédaction d'un rapport ou d'une lettre, jeu de rôle, etc.).

• Évaluation des acquis

À la fin de chacune des dix unités, *français.com* propose deux pages de bilan : la première page porte sur les connaissances grammaticales et la seconde sur les compétences communicatives.

Ces tests de contrôle permettent aux étudiants de vérifier et d'évaluer leurs connaissances et aptitudes à communiquer. En prenant la forme de QCM (questions à choix multiples), ils se distinguent des activités d'apprentissage et constituent un outil d'évaluation relativement performant.

Conclusion

Le matériel pédagogique se veut efficace, mais aussi attrayant et motivant. Le plaisir de réussir à comprendre et à s'exprimer dans une langue étrangère, la découverte d'une autre manière de voir, penser et sentir les choses, la mobilisation de l'imagination, la créativité sont les meilleurs moyens d'éveiller l'intérêt et de renforcer la motivation. Un souci majeur de *français.com* est de ne pas ennuyer.

1) Faire un tour de table (pages 10 et 11)

A. Premières impressions

Suggestions

Que fait-on quand on se retrouve autour d'une table, pour un premier cours, entouré de personnes qu'on ne connaît pas ? On se demande qui est qui, qui fait quoi, on fait des hypothèses, on imagine. Pour cette première leçon, vos étudiants sont invités à se poser des questions sur les six participants fictifs de *français.com* : Qui sont-ils ? D'où viennent-ils ? Que font-ils ?

Ils feront des hypothèses :

– en proposant des noms de pays (faites un petit tour du monde en parcourant les continents, quelques pays, quelques villes…) et des noms de nationalités (connaissent-ils les adjectifs de nationalité et les adjectifs en général ?) ;

– en imaginant des histoires ou d'autres éléments d'identité concernant les personnages. Faites l'activité oralement et/ou par écrit. Dans ce dernier cas, demandez-leur d'écrire un petit texte sur un ou plusieurs des six personnages.

– en se justifiant. Posez-leur des questions : Pourquoi dites-vous que Michael est allemand ? Pourquoi lui donnez-vous 30 ans ? Pourquoi porte-t-il une cravate ? Pourquoi dites-vous que c'est un homme d'affaires ? Etc. Relevez au passage les stéréotypes.

B. Premières présentations

• Activité 1, page 11

Suggestions

Les étudiants consultent le tableau sur « Les propositions de lieu », puis font l'exercice. Ont-ils compris la règle ? Corrigez l'exercice. Demandez-leur, comme indiqué dans le tableau, de se reporter au point de grammaire n° 1, page 130, et de faire l'exercice A. Corrigez l'exercice.

Cette démarche *peut* être suivie pour les points de grammaire des autres leçons. Mais il existe évidemment d'autres façons de faire, d'autres itinéraires, peut-être plus adaptés à votre classe, à votre type d'enseignement, à la situation.

En tout cas, un tableau de grammaire invite *toujours* à étudier un point de grammaire.

Presque toujours, l'étude du point de grammaire doit être complétée par les exercices du CAHIER D'EXERCICES. Ce n'est pas le cas ici.

Le point de grammaire

Comment procéder : quelques suggestions

Les tableaux de grammaire contiennent des exemples illustrant un point de grammaire, sur lequel la classe est invitée à s'arrêter.

Les étudiants commenceront par prendre connaissance des exemples du tableau. Ils découvriront ainsi par eux-mêmes la règle grammaticale que ces exemples illustrent, ce qui leur permettra, le cas échéant, de faire l'exercice qui se trouve face à ce tableau.

C'est à ce moment-là, en particulier en corrigeant l'exercice, que vous apporterez des explications grammaticales complémentaires.

La plupart du temps, les tableaux proposent d'« aller plus loin ». Dans ce cas, vos étudiants se reporteront à la fin de l'ouvrage pour y faire le ou les exercices indiqués.

Les fiches grammaticales de cette fin d'ouvrage vous permettront de faire la ➡

Corrigé

1. en • 2. du, à, dans • 3. en, dans • 4. aux, dans • 5. au • 6. chez, dans (ou pour), à.

Pour votre information

synthèse de ce qui a été dit. Comme les tableaux de conjugaison, elles peuvent également être consultées à tout moment. Enfin, il est important que les étudiants renforcent leurs acquis en faisant, en classe ou à la maison, les exercices de grammaire que contient chaque leçon du cahier d'exercices.

*   *Entreprise* : organisme produisant et vendant des biens et/ou des services dans un but lucratif. Une entreprise peut comporter plusieurs établissements.

*   *Filiale* : société qui appartient à plus de la moitié à une société, dite « société mère ». Les mots « *société* », « *filiale* », « *entreprise* », « *établissements* » n'ont donc pas le même sens. Le juriste parle de « société » et de « filiale » alors que l'économiste s'intéresse à « l'entreprise ».

• Activité 2, page 11
Suggestions

Exercice a. Faites écouter, deux fois si nécessaire, en faisant une pause après chaque intervention. Vos étudiants remarquent-ils, entendent-ils les différents accents des personnages ?
Demandez-leur de présenter par écrit un seul ou plusieurs personnages de leur choix. Si votre groupe n'est pas trop nombreux, passez dans la classe et corrigez immédiatement chaque production. Relevez les fautes les plus fréquentes et commentez-les à l'attention de tous.
Le présent de l'indicatif est-il parfaitement connu de tous ? Probablement pas. Faites faire l'exercice page 143 du livre de l'élève.

Exercice b. Faites faire l'exercice, puis corrigez. Les étudiants doivent justifier leurs réponses. Cet exercice prépare l'écoute de l'activité c. Le corrigé peut d'ailleurs être fait en c.

Exercice c. Faites écouter et après chaque présentation, contrôlez les réponses au b. Faites relever les autres raisons pour lesquelles ils apprennent le français (Quelles sont-elles ?). Suscitez des commentaires et des réactions (Que peut-on en dire ?). Amenez votre classe à se poser un certain nombre de questions : Quels sont les pays francophones africains ? Un touriste a-t-il besoin de connaître la langue du pays qu'il visite ? Faut-il connaître la langue du client ? Ne peut-on pas communiquer en anglais dans toutes les situations ? En quoi est-ce que connaître une langue aide à comprendre la culture d'un pays ? Etc.

Corrigé

Exercice b. 1. *Michiko* a besoin du français pour lire des romans en français. (Elle travaille dans une librairie.) • 2. *Omar* pour parler à certains collègues (Il travaille dans la filiale turque d'une entreprise française.) • 3. *Michaël* pour faire des voyages d'affaires (Il travaille beaucoup avec l'Afrique.) • 4. *Tom* pour vivre au quotidien (Il vit à Montréal.) • 5. *Emma* pour réussir ses études (Elle étudie le commerce international.) • 6. *Gabriela* pour parler aux clients (Elle travaille en Espagne comme réceptionniste dans un hôtel.)

Exercice c. *Michael* a besoin du français pour son travail, car il fait des affaires dans des pays francophones africains. • *Michiko* s'intéresse à la culture française et passe des vacances en France. • *Gabriela* accueille des clients français dans l'hôtel. • *Emma* évoque deux raisons pour lesquelles elle apprend le français : les examens de français et l'importance pour un Néerlandais de connaître des langues. • *Tom* doit lire des magazines professionnels en français et il vit au Québec, un pays francophone. • *Omar* estime qu'il est important de connaître le français quand on travaille, comme lui, dans une entreprise française.

Pour votre information

Pays francophones africains : Bénin, Burundi, Cameroun, Centrafrique, Congo, Côte-d'Ivoire, Gabon, Guinée, Madagascar, Mali, Niger, Rwanda, Sénégal, Tchad, Togo.

Pays-Bas : Le pays compte 15 millions d'habitants. La langue parlée est le néerlandais, une langue germanique, également parlée en Belgique (flamand) et en Afrique du Sud (africans). Pratiquement tous les Néerlandais parlent l'anglais. Les personnes dont la langue est peu répandue éprouvent assez logiquement le besoin de connaître d'autres langues. Les Américains et les Anglais ont sans doute moins besoin des langues étrangères que les Néerlandais, les Danois… ou les Français.

Québec : province située à l'est du Canada. Environ 7 millions d'habitants. 80 % parlent français. Capital : Québec. Montréal est la ville la plus peuplée du Québec.

Lafarge : entreprise française, leader mondial des matériaux de construction (ciment, béton, toiture, plâtre).

• Activité 3, page 11
Suggestions

Arrêt sur l'interrogation directe. Demandez à vos étudiants de trouver d'autres manières de poser les questions du tableau (avec « est-ce que », par exemple). Faites faire les exercices de la fin du livre de l'élève, mais aussi ceux du CAHIER D'EXERCICES (page 4). Un tour de table aura déjà été fait au tout début du cours, mais vos étudiants ont peut-être des questions supplémentaires à se poser, pour mieux se connaître.

Corrigé

1. Vous faites quoi en ce moment ? • 2. Vous parlez bien ? • 3. Avec quoi apprenez-vous ? • 4. Comment s'appelle-t-il ? • 5. C'est un bon livre ?

• L'avis du consultant (activité 4, page 11)

« Aujourd'hui, grâce à l'ordinateur, on peut apprendre une langue sans effort. »

Suggestions

Alexandre Kicétou, le consultant de *français.com*, invite vos étudiants à réagir et à s'exprimer sur des sujets qui entrent dans le cadre de la leçon. C'est le rôle qu'il tient dans *français.com*. Ses remarques sont toujours discutables, pas toujours judicieuses. Ce premier avis du consultant soulève au moins deux questions :

– La première : Quel est l'apport de l'informatique et, plus généralement, des nouvelles technologies dans l'apprentissage des langues ?

– La seconde : Peut-on apprendre une langue sans effort ?

On s'interrogera donc sur l'apprentissage d'une langue en général et du français en particulier. S'il y a un sujet qui a sa place au commencement d'un cours de langue, c'est bien celui-là. L'exercice 7, page 5, du CAHIER D'EXERCICES permettra d'alimenter le débat.

Il y a de nombreuses manières d'apprendre une langue, plusieurs stratégies d'apprentissage. Autant de stratégies que d'individus, pourrait-on dire, chacun ayant ses propres objectifs, démarche, attitude, ses propres « trucs » pour résoudre un problème de grammaire ou de communication.

À partir des affirmations d'Alexandre Kicétou, les étudiants s'interrogent sur leurs propres stratégies. Donnez votre point de vue de professionnel, et saisissez cette occasion pour présenter votre cours. Quels sont vos objectifs ? À quoi attachez-vous de l'importance ? Qu'attendez-vous des étudiants ? Etc.

La classe a sans doute intérêt à débattre dans la langue maternelle.

Corrigé

Quelques commentaires :

• Les nouvelles technologies apportent un outil utile, en particulier pour l'auto-apprentissage, et il serait dommage de s'en passer. Reste à savoir *ce pour quoi elles sont utiles*, mais aussi *ce pour quoi elles sont inutiles*. Bref, il faut en faire un bon usage et se garder de croire qu'elles apportent des solutions miraculeuses. Peut-on apprendre une langue sans effort ? On dira que non évidemment et on insistera même sur les efforts qu'il est nécessaire de fournir.

• Dans le CAHIER D'EXERCICES (ex. 7, p. 5), Alexandre Kicétou donne d'autres conseils, qui permettront d'alimenter le débat sur l'apprentissage d'une langue. Voici quelques réactions possibles à ces conseils :

1. *« Quand vous lisez en français, vous devez chercher la définition de tous les mots dans le dictionnaire pour comprendre. »* Pas d'accord. Mieux vaut lire en faisant un usage modéré du dictionnaire et en acceptant de ne pas connaître le sens précis de tous les mots. N'employons-nous pas constamment des mots dont nous ne connaissons pas le sens exact ? Bref, peu importe si le sens de certains mots, voire de phrases entières échappent au lecteur. L'acquisition du vocabulaire se fait par constructions successives. L'essentiel, et le plus utile, est de prendre plaisir à sa lecture… et de continuer à lire.

2. *« Il peut être utile de faire des exercices de grammaire. »* D'accord. Il ne suffit certes pas de faire des exercices de grammaire pour pouvoir communiquer. Mais la grammaire permet d'appréhender la langue en tant que système et la connaissance de ce système permet d'agir, c'est-à-dire de communiquer. La grammaire est « pré-communicative » et au bout du compte facilite la communication.

3. *« Même si vous gardez un léger accent, les gens peuvent vous comprendre. »* D'accord. L'accent est un ensemble de caractères phonétiques qui diffèrent de la norme. Encore faut-il savoir où se situe la norme (Paris ? Marseille ? Genève ? Québec ? Bruxelles ? Bamako ? Dans quel milieu ?). Il existe toutes sortes d'accents, à l'intérieur même de la communauté francophone. Si l'écart par rapport à la norme établie n'est pas trop important, l'accent ne devrait pas perturber la communication.

4. « *Avec de la volonté, vous pouvez apprendre une langue en deux semaines.* » Pas d'accord, et on peut douter du sérieux de certaines écoles ou méthodes de langue qui prétendent qu'on peut apprendre une langue en quelques mois, voire en quelques semaines. L'apprentissage d'une langue est généralement long et fastidieux. Le français n'échappe évidemment pas à cette règle.

2) Engager une conversation téléphonique (pages 12 et 13)

A. Des chiffres et des lettres

• Activité 1, page 12

Suggestions

Les choses les plus simples ne sont pas toujours les mieux sues. Vos étudiants connaissent-ils bien l'alphabet ? Insistez sur certaines lettres comme G (comme Georges), H, J (comme Jacques), Q, V, W, X, Y, Z. Au besoin, demandez à vos étudiants de réciter l'alphabet, en faisant un ou deux tours de table, chacun disant une lettre à son tour. Pour l'exercice a, les étudiants travaillent par deux. Savent-ils épeler leur propre nom ?

Insistez sur certains chiffres, comme le 21 (vingt ET un), le 81 (quatre-vingt-un, sans « ET »).

Comme indiqué, les étudiants se contentent de faire les exercices A et B de la page 132, les exercices C et D viendront plus tard.

Pour votre information

A comme Anatole	I… Irma	S… Sarah
B… Bernard	J… Jacques	T… Théo
C… Claire	K… Kléber	U… Ursule
D… Daniel	L… Louis	V… Victor
E… Élodie	M… Mathieu	W… William
F… Félix	N… Nicolas	X… Xavier
G… Guillaume	O… Oscar	Y… Yvonne
R… Rémi	P… Pierre	Z… Zoé
H… Henri	Q… Quentin	

• Activité 2, page 12

Suggestions

Exercice b. (deuxième écoute). Lisez, expliquez, commentez les expressions du tableau « Comment dire pour faire face à des complications téléphoniques ». On peut difficilement se passer de ces expressions au moment d'engager une conversation téléphonique et il est donc important de les connaître. Les étudiants font l'exercice. Corrigez après l'écoute de chaque entretien.

Corrigé

Exercice a.

• Qui appelle ?

Entretien 1 : le boulanger. Remarquez l'accent « populaire » du boulanger (c'est un personnage qu'on retrouvera plusieurs fois).

Entretien 2 : M. Jyquez. Dans les deux cas, c'est la standardiste de la société Cerise qui répond.

• Quel est le problème ? Le premier entretien concerne les lettres, le second porte sur les chiffres.

Entretien 1 : Le boulanger a fait un mauvais numéro (ce n'est pas le 10 48, mais le 10 88).

Entretien 2 : La standardiste de KM3 ne comprend pas le nom du correspondant (Jyquez) – un nom peu courant, il est vrai, et difficile à épeler.

Exercice b.

Expressions du tableau utilisées par les correspondants :

Entretien 1 : C'est (le boulanger) à l'appareil. Je crois que vous faites erreur. Je ne suis pas chez (Nicolas) ? Il n'y a personne de ce nom ici. Je ne suis pas au… ? Ici, c'est le… Excusez-moi, j'ai fait un mauvais numéro.

Entretien 2 : Pourrais-je parler à… ? C'est de la part de qui ? Pouvez-vous épeler votre nom ? C'est à quel sujet ? Je vous passe (madame Dulac).

• Activité 3, page 12

Suggestions

Les jeux de rôle se préparent et se jouent par groupes de deux. Les étudiants écrivent les deux entretiens avant de les jouer. Ils doivent utiliser certaines expressions du tableau. Après le jeu de rôle, ils lisent les entretiens transcrits à la fin de l'ouvrage. Ces exercices préparent l'activité suivante.

B. Standard téléphonique

• Activité 1, page 13

Suggestions

Les étudiants feront bien de mémoriser ces expressions, très utiles. Demandez-leur de faire les exercices de la page 7 du CAHIER D'EXERCICES. Ces trois entretiens peuvent être joués par groupes de deux.

Corrigés

Exercice a.

Entretien 1 : Mme Dulac est en réunion, M. Morel souhaiterait qu'elle le rappelle.

Entretien 2 : Mme Dulac est absente pour la journée, mais sera de retour (avant de repartir, suppose-t-on) en fin de matinée. M. Morel rappellera plus tard.

Entretien 3 : M. Morel doit patienter car la ligne est occupée. Finalement, la standardiste lui passe son correspondant.

Exercice b.
(1) parler● (2) annoncer● (3) instant● (4) ligne● (5) laisser● (6) rappeler●
(7) compter● (8) sujet● (9) joindre● (10) retour● (11) rappellerai● (12) occupée●
(13) patienter● (14) quittez● (15) passe.

● Activité 2, page 13
Suggestions

Avant de passer au jeu de rôle, on révisera les pronoms personnels. C'est un point de grammaire difficile, mais utile quand on a besoin d'engager une conversation téléphonique. Faites faire les exercices de la page 6 du CAHIER D'EXERCICES. Pendant le jeu de rôle, les acteurs *doivent* utiliser les « expressions du téléphone », autant que possible.

> **Jouez à deux**
>
> Pendant les jeux de rôle, les consignes doivent généralement rester confidentielles : la personne A ne doit pas prendre connaissance des consignes de B, et vice versa.

3 Accueillir à l'aéroport (page 14 et 15)

A. Préparatifs
● Activité 1, page 14
Suggestions

Attirez l'attention sur certaines formules utilisées dans les messages : « Bonjour » (message D), « Cordiales salutations » (message A), « À bientôt » (message B) sont des formules de salutations fréquemment utilisées dans le courrier électronique. Pour demander : « merci de » + infinitif présent (message D), une expression à retenir et à distinguer de « *merci de* + infinitif passé » qui signifie « remercier ». Dans le dialogue 1.5, Lorena Gomez utilise l'expression dans ce dernier sens : « Merci d'être venu », dit-elle.

Corrigé

Exercice a. *Messages de Lorena* : B, E. *Messages de Claire* : C, D.
Exercice b. *Ordre chronologique* : D, B, A, E, C.
Exercice c. Vrai ou faux ?
● Lorena est déjà venue à Paris : Vrai. Dans le message C, Claire écrit que « cette fois-ci, elle a réservé une chambre à l'hôtel Tronchet », ce qui laisse supposer que les autres fois Lorena descendait dans un ou des hôtels différents.
● Lorena connaît bien Claire Dulac : Vrai. Elles se tutoient.
● Lorena est une amie intime de Claire Dulac : Faux. Se tutoyer n'implique pas qu'on soit intime. Dans le message A, Claire envoie à Lorena ses « cordiales salutations ». Des personnes qui se connaissent intimement utiliseraient une autre formule (par exemple, « Je t'embrasse »). Ajoutons que si elles étaient intimes, Lorena n'irait pas à l'hôtel, elle serait hébergée par Claire.

• Lorena connaît bien Fabien Lamy : Faux. Parce que Fabien Lamy est un nouveau collaborateur de Claire (message A). Par ailleurs, Lorena parle de « monsieur Lamy ». Si elle le connaissait bien, elle l'appellerait par son prénom. Du moins dirait-elle « Fabien Lamy » et non pas « monsieur Lamy ».

Pour votre information

Mél, courriel, courrier électronique, message Internet, e-mail : comment dire ?
• L'anglicisme « e-mail » (electronic mail) sert à désigner à la fois le message électronique (un e-mail), le moyen de communication (par e-mail) et l'adresse elle-même (« passe-moi ton e-mail. »).
• L'abréviation française « mél » (message électronique) est inscrite dans le *Journal officiel de la République française.*
• Le mot « courriel » (courrier electronique) est préconisé par l'Office de la langue française du Québec. Il désigne à la fois le moyen de communication et le message. Le mot « mél » ne connaît guère de succès en France. Lorsqu'on prononce « mél » (mail), l'interlocuteur pense qu'on utilise l'anglicisme. « E-mail » et « mail » sont les expressions les plus utilisées.
« – Envoie-moi un courriel.
– Hein ?
– Un message par courrier électronique, un e-mail ! »
Seules des expressions longues mais très explicites semblent pouvoir concurrencer « e-mail » : « courrier électronique », « message par Internet », « message électronique », « adresse électronique », etc.
« – Envoie-moi un message par Internet.
– Quelle est ton adresse électronique ? »
Sur une carte professionnelle ou dans l'en-tête d'une lettre, il suffit d'écrire « monsieurmachin@aol.com ». Difficile alors de ne pas comprendre qu'il s'agit d'une adresse électronique.
Français.com a consacré l'usage en optant pour « e-mail ».

• Activité 2, page 14

Suggestions
Les étudiants réviseront le futur simple avant de rédiger le message. Faites relever les verbes au futur simple dans les messages A à E : *pourrai, conduira, appellerai, irai, prendrai*. Attirez l'attention sur la conjugaison et l'orthographe du verbe « appeler » au futur. Ne pas oublier les exercices de la fin du livre comme ceux du cahier d'exercices. Dans leur message, les étudiants devraient assez naturellement mettre certains verbes au futur simple. Les moins imaginatifs se contenteront de couper – coller des extraits des messages A à E.

Corrigé

Proposition :
Bonjour,
Je viens d'apprendre que je dois assister à une réunion le 3 mars au matin. Je ne pourrai donc pas vous accueillir à l'aéroport, comme convenu. J'ai demandé à Félix Beautemps, l'un de nos nouveaux collaborateurs, d'aller vous chercher.
Pouvez-vous me communiquer l'heure exacte de votre arrivée ainsi que le numéro de votre vol ?

Je vous ai réservé une chambre à l'hôtel Palace. C'est un hôtel confortable et calme, situé dans un bon quartier du centre-ville.

Je vous appellerai à votre hôtel en fin de matinée. Nous pourrons nous voir dans la journée.

À bientôt.

B. Arrivée

• Activité 1, page 15
Suggestions
Exercice b. Si nécessaire, les étudiants écoutent plusieurs fois en prenant des notes. Quelles ont été les questions posées ? Écrivez ces questions au tableau. Demandez s'il existe d'autres manières de poser ces mêmes questions. Pour terminer, les étudiants lisent le dialogue à la fin de l'ouvrage (transcription des enregistrements).

Corrigé

Exercice a. 1. Lorena Gomez se présente (« Je suis Lorena Gomez, enchantée. »). Sont « enchantées » des personnes qui se rencontrent pour la première fois. • 2. L'avion est à l'heure (« Pour une fois, l'avion est arrivé à l'heure. »). • 3. Lorena Gomez a peu de bagages (« Seulement cette petite valise et ma serviette… ») • 4. La voiture est garée près de l'aéroport (« La voiture est à deux pas »). • 5. Lorena Gomez vient souvent à Paris (« Je suis venue de nombreuses fois. En fait, je viens très régulièrement. »). • 6. À Paris, le ciel est nuageux (« Oh là là ! Il ne fait pas très beau chez vous. », « Je crois bien qu'il va pleuvoir. », « Ici, pour le moment, il pleut tous les jours. »).

Exercice b. En principe, la personne qui accueille mène la conversation. Monsieur Lamy est donc logiquement celui qui pose les questions : Vous avez fait bon voyage ? Vous n'avez pas d'autres bagages ? C'est la première fois que vous êtes à Paris ? Il fait quel temps à Mexico ? Vous l'avez appris où ?

• Activité 2, page 15

Corrigé

Exercice a. Toutes les questions se trouvent dans le tableau : 1. Combien de temps restez-vous ? • 2. Vous aimez la musique ? • 3. C'est la première fois que vous venez à Paris ? • 4. Comment s'est passé votre voyage ?

Exercice b. Les questions indiscrètes ont souvent trait à la vie privée. *Ex.* : Vous êtes marié(e) ? Quel âge avez-vous ? Vous vivez seul(e) ? Qu'est-ce que vous avez fait pendant vos vacances ? Vous prenez une douche le matin ? Vous vous entendez bien avec votre mari ? Avec votre directeur ? Vous gagnez combien ? Vous allez souvent chez le dentiste ? Etc.

• Activités 3 et 4 page 15
Suggestions
Activité 4. Les étudiants imaginent les nombreux problèmes que pourrait rencontrer Lorena Gomez. Ils peuvent relever ceux qui sont mentionnés dans le message du cahier d'exercices (exercice 2, page 8). Ils écrivent environ 150 mots, sans consulter la page 8 du CAHIER D'EXERCICES.

Corrigé

Activité 3. 1 : a • 2 : est • 3 : a • 4 : est • 5 : est • 6 : a • 7 : a • 8 : est • 9 : a • 10 : est • 11 : est.

Activité 4. Pour une proposition de corrigé, voir CAHIER D'EXERCICES, page 8, exercice 2.

• L'avis du consultant, page 15
« *L'avion est rapide, sûr et confortable.* »

Pour votre information

L'avion est-il le plus rapide ?

Si on considère que les aéroports sont le plus souvent situés loin des villes, qu'il faut un certain temps pour embarquer et débarquer, que les retards sont fréquents, l'avion peut s'avérer moins rapide que le train, du moins pour les distances n'excédant pas 800 km. Paris-Lyon est ainsi plus rapide par train (1 h 55) que par avion (1 heure de vol + tout le reste).

L'avion est-il le plus sûr ?

En 1947, 590 des 21 millions de passagers ont perdu la vie dans 34 accidents. En 2000, 755 des 1,6 milliard (vous avez bien lu) de voyageurs ont péri dans 18 accidents. Pas mal quand on sait qu'actuellement, un avion décolle toutes les deux secondes. On évalue à 10 000 le nombre d'avions qui volent simultanément à travers le monde.

Les risques d'accidents sont peu élevés, mais lourds de conséquences. Actuellement, il tombe un gros porteur et demi par mois. En 2015, en raison de la densité du trafic, les constructeurs estiment qu'un accident aura lieu chaque semaine.

Les comparaisons sur la sécurité des différents modes de transport varient en fonction des indicateurs retenus : temps passé dans les transports, nombre de voyages effectués, distance parcourue, etc. Une comparaison portant sur le nombre de décès dans le monde rapporté au nombre de passagers/kilomètres parcourus donne des résultats comparables pour l'avion et le train : environ un décès pour 500 millions de passagers/kilomètres, soit un niveau au moins 10 fois inférieur à celui de la route.

Ces données montrent que l'avion est un moyen de transport comparativement sûr. Les accidents sont rares.

4 Accueillir dans l'entreprise (pages 16 et 17)

A. Un accueil professionnel

• Activité 1, page 16

Suggestions

Avant d'écouter le dialogue, les étudiants décrivent la situation à l'aide de la photo. Ils consultent le tableau « Comment dire ». Dans sa conversation avec le visiteur, Fanny, l'hôtesse, utilise de nombreuses expressions de ce tableau.

Corrigé

Exercice a. Que dit Fanny ?

Pour saluer le visiteur : « Bonjour, monsieur » (Elle ne connaît pas encore son nom.).

Pour lui proposer ses services : « Que puis-je faire pour vous ? » (Notez le « puis-je », très formel.).

Pour l'inviter à s'asseoir : « Voulez-vous vous asseoir un instant ? » (Notez l'inversion du sujet et du verbe, marque d'un registre de langue soutenu.).

Pour lui proposer une boisson : « Puis-je vous offrir quelque chose à boire ? ».

Pour lui faire la conversation : « Avez-vous trouvé notre adresse facilement ? ».

Exercice b. Que dit le visiteur ?

Pour saluer : « Bonjour » (Notez qu'il se contente d'un simple bonjour, moins formel qu'un « Bonjour, madame »).

Pour se présenter : « Je suis monsieur Morel, de l'agence Bontour. ».

Pour expliquer la raison de sa visite : « J'ai un rendez-vous avec madame Dulac à 11 heures. ».

Pour accepter l'offre de Fanny : « Volontiers, merci. » (Cette réponse dénote plus d'enthousiasme qu'un simple « oui ».).

• Activité 2, page 16

Corrigé

Proposition :

En appelant le visiteur par son nom, Fanny personnalise la relation. Le visiteur se sent ainsi connu (et reconnu). Il sort de l'anonymat et devient un visiteur privilégié, à qui on prête une attention particulière.

En demandant au visiteur s'il a trouvé l'adresse facilement, Fanny l'invite à engager une conversation. Pendant qu'il patiente, le visiteur verra (peut-être) passer le temps plus vite en bavardant. Le bavardage est aussi un moyen d'entrer en relation. Dans certaines cultures, le silence met mal à l'aise. On parle pour ne pas rester silencieux, et pas forcément pour dire quelque chose (et encore moins pour dire quelque chose d'important). Évidemment, il ne faudrait pas que Fanny poursuive la conversation si le client n'y est pas disposé, ou qu'elle lui pose des questions indiscrètes.

• Activité 3, page 16

Suggestions

Les étudiants préparent la scène à deux en écrivant un mini-scénario, dans lequel ils reprennent les expressions du dialogue et du tableau. Écrire exige de la réflexion, aide à mémoriser, structure le jeu de rôle.

Le passé récent est utilisé une fois par Fanny (« Madame Dulac vient de sortir d'une réunion »). C'est le moment de revenir sur cette construction simple et courante. Demandez à vos étudiants de faire l'exercice n° 1, page 10 du CAHIER D'EXERCICES. Si besoin, revenez également sur l'interrogation directe. C'est un point de grammaire qu'on retrouve tout au long de cette première unité. Il ne peut pas en être autrement : les questions sont inévitables lors d'une prise de contact.

B. Un accueil (très) maladroit

• Activité 1, page 17

Corrigé

Quelques commentaires :

L'accueil est important. Il donne au visiteur une première impression de l'entreprise. Quel premier regard porter sur l'attitude de la nouvelle hôtesse ? Le visiteur et vos étudiants remarqueront son attitude négligée, presque irrespectueuse : au lieu de s'occuper du visiteur, elle continue à lire son journal. Ils remarqueront le désordre de l'environnement : tasse renversée, serviettes chiffonnées, téléphone décroché, journal ouvert, etc. Bref, c'est un accueil (très) peu professionnel : la première impression est désastreuse.

Pour votre information

Le journal *Gala*, que lit la nouvelle hôtesse, fait partie de la presse dite « à sensation » (ou encore « presse people »). Autres journaux du genre, vendus en France : *Paris Match*, *Ici-Paris*, *France-Dimanche*, *Voici*, *VSD*. Tous ont évidemment un site Internet.

• Activité 2, page 17

Suggestions

L'exercice est fait d'abord à partir de la seule écoute, livre fermé. Puis les étudiants lisent la transcription de l'enregistrement et complètent leur réponse.

Corrigé

Quelques commentaires :

Cette nouvelle hôtesse, qui est une caricature d'incompétence, cumule les maladresses :
– Elle est impolie, voire agressive. Au « Bonjour, madame... » du visiteur, elle répond simplement « Bonjour » (sans ajouter « monsieur »). Au client du téléphone, elle tient un langage inapproprié, à la limite de la politesse : « Qui ça ? ... C'est pourquoi ? ... Ouais, ouais, une minute. ».
– Elle met en doute la parole du visiteur : « Vous êtes sûr ? », « Il dit qu'il a rendez-vous avec vous... c'est ce qu'il dit. ».
– Elle lui donne l'image d'une entreprise mal organisée : « Vous n'êtes pas sur ma liste. ». Et d'un patron distrait : « ... elle a encore oublié, elle est toujours dans la lune... ».
– Elle critique les clients de l'entreprise : « Quel idiot, ce client ! ».
– Elle ne retient pas le nom du visiteur : « C'est comment votre nom, déjà ? » Ou alors le retient incorrectement : « Il y a un monsieur Fort à l'accueil. ».
– Elle n'accompagne pas le visiteur. Au lieu de cela, elle se contente de lui indiquer sèchement qu'il doit se rendre au « deuxième étage, bureau 220 ».

• Activité 3, page 17

Corrigé

Cet exercice permet de reprendre les expressions étudiées pendant cette leçon.
Proposition :
Visiteur : Bonjour, madame.

Hôtesse : Bonjour, monsieur, que puis-je faire pour vous ?

Visiteur : Je suis monsieur Lefort, des Établissements Jasmin. J'ai rendez-vous avec madame Dulac.

Hôtesse : Puis-je vous demander à quelle heure vous êtes attendu ?

Visiteur : À 11 heures.

Hôtesse : (*Le téléphone sonne*) Excusez-moi un instant. (*Elle décroche*) Société KM3, bonjour… À quelle personne voulez-vous parler, monsieur ? … C'est à quel sujet ? … Un instant, s'il vous plaît, je vous passe le service… (*Elle raccroche, puis s'adresse au visiteur*) Excusez-moi encore, monsieur Lefort, je préviens madame Dulac de votre arrivée. (*Au téléphone*) Madame Dulac, monsieur Lefort est arrivé… (*Au visiteur*) Madame Dulac arrive tout de suite. Voulez-vous vous asseoir un instant ?

Visiteur : Volontiers, merci.

• L'avis du consultant, page 17

« Accueillir, ça ne s'apprend pas, c'est une question de personnalité. »

Suggestions

La remarque du consultant conduit à s'interroger sur les conditions d'un bon accueil : Certaines personnes accueillent-elles mieux que d'autres du simple fait de leur personnalité ? Si tel est le cas, quelles qualités faut-il ? Mais accueillir, est-ce seulement une question de personnalité ? N'est-ce pas aussi et surtout un savoir-faire ? Un savoir-faire qui s'acquiert ? À partir de l'exercice 5, page 11 du CAHIER D'EXERCICES, vos étudiants récapituleront les différentes techniques de l'accueil.

On peut également s'interroger sur la nécessité d'avoir une personne à l'accueil. Dans certaines entreprises, les visiteurs utilisent un interphone et informent directement de leur arrivée la personne à qui ils rendent visite.

Corrigé

Quelques suggestions :

Que doit-on faire pour bien accueillir ?

– Utiliser un registre de langue approprié à la situation.

– Donner l'impression au visiteur qu'il est attendu.

– Lui sourire pour le mettre en confiance, l'appeler par son nom pour montrer qu'on lui porte de l'intérêt.

– Être attentif(tive) à son égard : l'inviter à s'asseoir, lui offrir à boire, lui faire la conversation, l'accompagner jusqu'au bureau de la personne qu'il doit rencontrer.

– Donner une bonne image de l'entreprise et des personnes qui y travaillent.

À la croisée des cultures (page 20)

Corrigé

Les malentendus proviennent des problèmes de langue.

a. De quelle nationalité est Jolitorax ?

Il est breton, c'est-à-dire anglais (deuxième sens de la définition du mot « Breton » dans le *Petit Robert*).

b. Obélix pense que Jolitorax est germain. Pourquoi ?

Le malentendu s'explique par les différents sens du mot « germain ». Astérix parle de Jolitorax comme de son « cousin germain », c'est-à-dire de celui qui a un grand-parent en commun. (Astérix vit en Bretagne, Jolitorax en Grande-Bretagne, les deux peuples, Bretons et « Grands-Bretons », sont cousins). Mais pour Obélix, le Germain est un habitant de la Germanie (Allemagne), comprenez un « Allemand ».

c. Obélix serre la main de Jolitorax avec une énergie excessive. Pourquoi ?

Jolitorax parle français en traduisant littéralement de l'anglais certaines expressions : « Secouons-nous les mains. » (*shake hands*), dit-il. Obélix comprend qu'ils doivent se secouer les mains. De la même façon, Jolitorax parle de « morceau de chance » (*piece of chance*). Son commentaire final (« Splendide ! splendide ! ») est aussi un clin d'œil à l'humour et au flegme anglais.

Bref, les difficultés qui surgissent à la croisée des cultures sont bien nombreuses.

Pour votre information

Les différences culturelles nationales tiennent une place importante dans les histoires d'Astérix. L'extrait cette page 20 est tiré d'*Astérix chez les Bretons*. Les autres titres sont aussi évocateurs : *Astérix en Hispanie* (en Espagne), *Astérix en Corse*, *Astérix chez les Belges*, *Astérix chez les Helvètes* (chez les Suisses), *Astérix chez les Normands* (chez les Scandinaves), *Astérix chez les Bretons* (chez les Anglais), etc. Dans tous ces albums, Astérix et son compagnon Obélix rencontrent des personnes de cultures différentes, et c'est de ces rencontres que naissent les malentendus, les conflits… et les histoires.

Les histoires d'Astérix se situent donc bien « à la croisée de cultures ». Car l'interculturel évoque précisément cette rencontre entre des personnes ou groupes de personnes de cultures différentes. Astérix présente par ailleurs l'intérêt d'apporter un peu d'humour à une matière où, comme il a déjà été dit, il faut se méfier des belles théories intellectuelles.

À la croisée des cultures

La majorité des théoriciens classent les cultures dans des catégories, des sortes de tiroirs. Mais il extrêmement difficile de ranger les cultures dans des tiroirs. D'abord parce qu'il y a une infinité de tiroirs. Ensuite, et surtout, parce qu'il y a une infinité de manières de ranger. En fait, chacun range à sa façon. Les différences culturelles dépendent toujours et sont toujours appréciées du point de vue d'un observateur, lui-même marqué par sa propre culture. Il est vain dans ces conditions de vouloir différencier et apprécier objectivement les différentes cultures.

En revanche, il peut être intéressant de faire ressortir le caractère relatif et subjectif des points de vue exprimés et d'en conclure que ses propres valeurs n'ont pas un caractère absolu. À partir de là, il devient un peu plus facile de comprendre et d'accepter les valeurs des autres, de communiquer et de gérer les malentendus. Les activités de *français.com* s'inscrivent dans cette perspective, sans compter qu'elles visent aussi à travailler la langue de manière ludique et communicative.

2 agenda

1) Prendre rendez-vous (pages 22 et 23)

A. Au travail

• **Activité 1, page 22**

Suggestions

Cette leçon a un double objectif : acquérir du lexique et réviser le conditionnel présent.

Exercice b. Les étudiants révisent la formation du conditionnel présent à l'aide du tableau de grammaire. Ils font les exercices 1 et 2 de la page 12 du CAHIER D'EXERCICES. Prévenez-les que tous les verbes du dialogue entre Amélie et M. Joxe peuvent être mis au conditionnel, sauf deux.

D'une manière générale, expliquez-leur souvent pourquoi ils font tel ou tel exercice. Pour celui-là, par exemple, dites-leur que récrire le dialogue aide à mémoriser, et que ce dialogue fourmille d'expression usuelles qui valent la peine d'être retenues.

À la fin de l'exercice, vous pouvez organiser un jeu de rôle à l'aide du canevas suivant, que vous écrivez au tableau :

– *M. Joxe* : Demain ?
– *Amélie* : Matin ou après-midi ?
– *M. Joxe* : Matin.
– *Amélie* : 9 heures ?
– *M. Joxe* : Pas avant 10 heures.
– *Amélie* : 11 heures ?
– *M. Joxe* : D'accord.

Dans leur conversation, les acteurs doivent utiliser certaines expressions du tableau et employer le conditionnel.

Corrigé

Exercice a.

(1) prendre • (2) avec • (3) convient • (4) possible • (5) m'arrange • (6) proposer • (7) libre • (8) dites • (9) parfait • (10) disons.

Exercice b.

Les phrases du tableau : Je pourrais vous proposer jeudi. • Jeudi, ce serait possible ? • Vous seriez libre jeudi ? • Jeudi, vous pourriez/préféreriez ? • Que diriez-vous de jeudi ? • Est-ce que jeudi vous conviendrait ? • Jeudi, ça vous arrangerait ?

Le dialogue :

M. Joxe : Je **souhaiterais** prendre rendez-vous avec madame Legrand, s'il vous plaît.
Amélie : Quel jour vous **conviendrait** ?
M. Joxe : Demain, ce **serait** possible ?
Amélie : Vous **préféreriez** le matin ou l'après-midi ?
M. Joxe : Ça **m'arrangerait** plutôt le matin.
Amélie : Je **pourrais** vous proposer 9 heures.
M. Joxe : Malheureusement, je ne serai pas libre avant 10 heures.

Amélie : Que **diriez** -vous de 11 heures ?

M. Joxe : Ce **serait** possible.

Amélie : Nous disons donc demain à 11 heures.

• Activité 2, page 22
Suggestions

Comme pour l'activité 1, vous pouvez terminer cette activité 2 par un jeu de rôle. Voici une proposition de canevas, que vous écrivez au tableau :

– *Correspondant* : Jeudi ? Fin de matinée ?

– *Amélie* : Après-midi ? 14 h 30 ?

– *Correspondant* : Plus tard ?

– *Amélie* : 15 heures ?

– *Correspondant* : D'accord.

– *Amélie* : Quel nom ?

Dans leur conversation, Amélie et son correspondant reprennent plusieurs expressions de l'activité 1 et emploient le conditionnel. Les acteurs doivent faire de même.

Arrêtez-vous sur l'agenda de Mme Legrand (page 23) et expliquez ce que sont un « plan de formation » et un « calendrier des congés ». « La Casserole » est un restaurant que nous retrouverons plus tard (c'est aussi un ustensile de cuisine, qu'on retrouvera également plus tard).

Corrigé

Exercice a. Rendez-vous est pris le jeudi 14 à 15 h 00. Objet de la rencontre : Projet Cerise. Voir agenda page 33.

Exercice b. (1) regrette • (2) occupée • (3) matinée • (4) irait • (5) rappeler • (6) noté.

Pour votre information

La formation continue des adultes a pour objet de permettre aux travailleurs de s'adapter aux changements des techniques et des conditions de travail, ainsi que de favoriser leur promotion sociale. Des plans de formation sont mis en place par les entreprises pour que les salariés puissent perfectionner leur qualification professionnelle.

Les congés de formation sont des congés ouverts aux salariés qui remplissent certaines conditions énoncées par la loi en vue de participer à un stage de formation professionnelle.

Les congés payés permettent au travailleur de prendre du repos tout en recevant son salaire. En France, c'est l'employeur, maître de l'organisation de son entreprise, qui fixe la date des congés. Deux formules sont possibles : le congé du personnel par roulement ou la fermeture de l'entreprise pendant une certaine période. Le droit aux congés payés a été une première fois accordé aux travailleurs par une loi de 1936 : les congés étaient alors de deux semaines par an. En 1956, leur durée a été portée à trois semaines, puis à quatre semaines en 1969 et à cinq semaines en 1982. Les salariés français sont mieux lotis que leurs collègues québécois, qui n'ont droit qu'à deux semaines de congés payés après 1 an d'ancienneté et à 3 semaines après 5 ans d'ancienneté.

OCTOBRE
Mercredi 13

11.00 *Fanny Maçon*
    (plan de formation)

14.00 ~~M. Guilloux~~
    (RV annulé)

16.00 ~~Guy Namur~~
    (RV annulé, reporté)

17.00 *M. Guillon*

20. 00 *Dîner chez Judith*

OCTOBRE
Jeudi 14

9.30–12.00 *Visite BCX*

12.30 *Déjeuner avec*
    Christophe
    (Assiette au Beurre).

15.00 Pascal Dupin
    (Projet Cerise)

16.00 *Mme Lemarc*
17.00 Guy Namur

18.30 Benoît, Café
    du Commerce

B. À domicile
• Activités 1, 2, 3, page 23
Suggestions

Activité 2. Les étudiants relèvent ce qui distingue cette conversation entre amis d'un entretien professionnel, en ce qui concerne notamment le registre de langue : les correspondants se tutoient, Fabienne ne se présente pas quand elle répond au téléphone (« Allô, oui ? »), Benoît dit « on » et non pas « nous » (« On pourrait se voir ? »), « t(e) » et non pas « tu » (« T'es libre ? »). Mais bien qu'ils soient assez proches, nos deux amis utilisent souvent le conditionnel présent, marque de politesse.

Activité 3. Les acteurs pourront jouer une première fois en utilisant les expressions de la colonne A (conversation entre amis), puis une seconde fois en utilisant les expressions de la colonne B (conversation formelle).

Corrigé

Activité 1. Rendez-vous est pris à 18 h 30 au Café du Commerce. Voir agenda ci-dessus.

Activité 2.
Exercice a. 1-f • 2-c • 3-a • 4-e • 5-b • 6-g • 7-d.
Exercice b. La quasi-totalité des expressions utilisées par Benoît et Amélie dans leur conversation peut être portée dans la colonne A : « C'est moi, oui, j'écoute. », « Comment ça va ? », « Ça ne m'arrange pas vraiment. », « Jeudi soir, tu pourrais ? », « Ça te va ? », « À jeudi, alors. », « Salut ! ».

2 Changer de rendez-vous (pages 24 et 25)

A. Annuler un rendez-vous

• **Activités 1, 2, 3, page 24**

Suggestions

Activité 1

Les étudiants font des hypothèses. Avant de faire l'exercice, rappelez-leur que seules quelques mentions manquantes peuvent être complétées, que la solution ne se trouve pas toujours dans le tableau « Comment faire » et que plusieurs solutions sont parfois possibles. Cet exercice a pour objet de préparer et de faciliter l'écoute de l'activité suivante.

Activité 2

L'expression du futur peut être étudiée à ce moment de la leçon, à l'aide du tableau. Les étudiants font les exercices 1, 2, 3, page 14 du CAHIER D'EXERCICES.

Corrigé

Activité 1

Avant d'écouter, il est possible de proposer les réponses suivantes :
(3) prise/absente/occupée/en déplacement/en réunion • (4) sujet • (5) s'agit-il • (8) empêchement • (9) déplacement • (16) annuler • (17) prendre • (19) agenda • (20) rappellerai • (21) entendu/noté • (22) au revoir.

Activité 2

(1) Guilloux • (2) client • (3) absente • (4) sujet • (5) s'agit-il • (6) mercredi • (7) 13 • (8) empêchement • (9) déplacement • (10) Guillon • (11) Guilloux • (12) Guilloux • (13) deux L-O-U-X • (14) 14 heures • (15) M. Guilloux • (16) annuler • (17) prendre • (18) tout de suite • (19) agenda • (20) rappellerai • (21) noté • (22) au revoir.

Activité 3

Il faut annuler le rendez-vous de M. Guilloux du mercredi 13 octobre, à 14 heures. Voir agenda page 33.

B. Déplacer un rendez-vous

• **Activités 1, 2, 3, page 25**

Suggestions

Activité 2

Après avoir terminé cette activité 2, et avant de passer à l'activité suivante, les étudiants font les exercices 4, 5 des pages 14 et 15 du CAHIER D'EXERCICES. Ils peuvent reconstituer par écrit les trois extraits d'entretien de l'exercice 5.

Activité 3

Les étudiants jouent à deux, entre eux ou devant le groupe. Quelques-uns peuvent sortir de la classe pour se préparer et revenir deux par deux jouer devant le groupe. Cette dernière possibilité permet de comparer les prestations des uns et des autres. En tout cas, rappelons que les consignes doivent rester confidentielles : la personne A ne doit pas consulter l'agenda de B, et B ne doit pas consulter l'agenda de A. La confidentialité des consignes concernent seulement les acteurs. Pendant que les acteurs se préparent, le reste de la classe prend connaissance des consignes de A et de B. Les acteurs doivent jouer, c'est-à-dire se mettre dans la peau des personnages.

L'entretien est assez formel : ce n'est pas une conversation à bâtons rompus. Les acteurs utilisent un maximum d'expressions apprises au cours des deux dernières leçons. Temps de préparation : cinq minutes. C'est le temps nécessaire pour que les acteurs et le groupe prennent connaissance des consignes et consultent leur agenda. Pendant le jeu de rôle, interrompez les acteurs pour les corriger, notamment quand ils utilisent un lexique peu précis ou inadéquat.

Corrigé
Activité 1
• **Exercice a.** a-3 • b-5 • c-6 • d-8 • e-1 • f-7 • g-2 • h-4.
• **Exercice b.** Le rendez-vous de Guy Namur sera reporté du mercredi 13 au jeudi 14, à 17 heures. Voir agenda page 33.

Activité 2
(1) Ici • (2) appelle • (3) sujet • (4) écoute • (5) serait • (6) avancer • (7) avancer • (8) consulte • (9) voir • (10) souhaiterais • (11) avancer • (12) arrangerait • (13) problème • (14) noté • (15) remercie • (16) prie.

Activité 3
Proposition :
Jeanne Dumond et Danielle Vidoc sont l'une et l'autre très occupées. Il ne leur reste que le vendredi après-midi pour se rencontrer, entre 14 heures et 16 h 30. Jeanne Dumond est totalement libre cet après-midi-là. Danielle Vidoc a moins de choix : pour elle, le rendez-vous doit avoir lieu après 14 heures (elle a besoin de temps pour déjeuner à La Casserole) et avant 16 h 30 (elle a un autre rendez-vous à 17 h 30.).

3 Organiser son temps de travail (pages 26 et 27)
A. Journée balzacienne
Suggestions
Cette leçon sera l'occasion de comparer écrits littéraires et écrits professionnels, en insistant sur les spécificités de l'écrit professionnel.
La page d'agenda (page 26 du livre de l'élève) est un écrit professionnel. C'est la version professionnelle du texte de Stephan Zweig sur les « 24 heures de la vie de Balzac », le seul écrit littéraire de *français.com*. Ces deux documents retracent une journée de la vie de Balzac, mais de manière évidemment très différente.
Il existe une grande variété d'écrits professionnels, mais leur nombre n'est pas illimité. Certains, comme la lettre, l'e-mail ou la page d'agenda sont plus usuels. À la page 17 du CAHIER D'EXERCICES sont regroupés différents types d'écrits professionnels. Les étudiants peuvent également les examiner dans le but de faire ressortir les spécificités de ce type d'écrit.
Tout écrit professionnel s'inscrit à l'intérieur d'un cadre étroit. Il existe des règles précises, des normes, des formules toutes faites (« Vous trouverez ci-joint... », « Salutations distinguées », etc.). Autrement dit, les contraintes sont nombreuses, la liberté du rédacteur est fortement encadrée. De plus, l'objectif est toujours bien identifié : on écrit pour transmettre une information, pour demander quelque chose. Pas pour passer des émotions.

Produire de la littérature est un exercice autrement plus libre… et plus complexe. Dites-le à vos étudiants. Il ne faut pas croire que les contraintes de l'écrit professionnel compliquent la tâche ; au contraire, elles facilitent les choses. Dites à vos étudiants qu'il est relativement simple d'écrire une lettre. Mais prévenez-les que c'est à la condition de respecter certaines règles, de ne pas dépasser les limites du cadre.

Un écrit professionnel doit être efficace. Il faut insister sur ce mot : efficacité. Un responsable d'entreprise écrit rarement pour le seul plaisir d'écrire. Avec l'écrit professionnel, on transmet un message, rien de plus. Le but est d'amener l'autre à agir. C'est pourquoi il faut être précis : si vous invitez quelqu'un à une réunion, n'oubliez pas de lui préciser l'objet de la réunion, ni de lui dire que ladite réunion aura lieu à tel endroit, à telle heure, etc. Donnez-lui tous les détails.

Mais il ne s'agit pas non plus se perdre dans les détails. Il ne faut donner que des informations utiles, et les donner une seule fois, en un minimum de mots. Les phrases longues sont à proscrire. Les répétitions aussi. Si le lecteur a laissé échappé une information, s'il a lu un passage avec distraction, libre à lui de relire.

Bref, nous sommes loin du texte de Stephan Zweig. Écrit professionnel et écrit littéraire appartiennent à deux mondes distincts et de cela, vos étudiants doivent être conscients. C'est à cette première condition qu'ils écriront… efficacement.

Corrigé

8 h-9 h : pause. • 9 h-12 h : travail. • 12 heures : pause déjeuner. • 12 h-17 h : travail • 17 h-20 h : pause. • 20 h-24 h : sommeil. • 24 h-8 h : travail

Pour votre information

Honoré de Balzac : Écrivain français né à Tours en 1799 et mort à Paris en 1850. Il commence par des romans sentimentaux sans grande valeur littéraire. À trente ans, criblé de dettes, il s'attaque à ses grandes œuvres. En une vingtaine d'années, il écrit 95 romans rangés sous le titre de *La Comédie humaine*. À 51 ans, épuisé par le travail, il meurt, après avoir réalisé son rêve en épousant la comtesse Hanska, une Polonaise avec qui il avait échangé une correspondance pendant 18 ans.

Stephan Zweig : Écrivain autrichien né à Vienne en 1881 et mort au Brésil en 1942. Il est l'auteur de nouvelles brèves, de biographies romancées (J. Fouché, Marie-Antoinette, Marie Stuart), d'essais littéraires critiques (Dickens, Dostoïevski, Balzac). Fuyant le nazisme, il quitte l'Allemagne en 1935. Il se suicide en même temps que sa seconde femme.

B. Temps modernes

• Activités 1, 2, 3, page 26

Suggestions

Activité 1

Les expressions de temps sont un point de grammaire difficile. Avant de passer à l'activité suivante, les étudiants feront les exercices de la fin de l'ouvrage ainsi que ceux de la page 16 du CAHIER D'EXERCICES.

Activité 2

Avant de commencer le jeu, assurez-vous auprès de chacun des joueurs, en aparté, que la situation et les consignes sont bien claires. Apportez-leur les éclaircissements nécessaires (toujours en aparté, bien sûr, car les consignes doivent rester confidentielles).

Le reste de la classe prend connaissance des consignes de A et de B, et assistent au jeu de rôle.

Pendant le jeu de rôle, n'interrompez pas les acteurs. Le message de Tamara comporte trois erreurs et il appartient aux acteurs de les découvrir, avec les moyens linguistiques dont ils disposent.

Ces trois erreurs sont les suivantes :

– c'est madame Delaunay, et non pas de madame Daunay, qui demande d'organiser la réunion ;

– cette réunion doit se tenir impérativement pendant une matinée de la semaine prochaine et non pas dans l'après-midi ;

– l'objet de la réunion porte sur la formation, et non pas sur l'information du personnel.

Après le jeu de rôle, les acteurs et le groupe se demanderont pourquoi, le cas échéant, les erreurs ou du moins certaines d'entre elles n'ont pas pu être corrigées.

Activité 3

Les étudiants qui n'ont jamais travaillé présenteront les conditions de travail d'une personne qu'il connaisse, après s'être informés auprès d'elle, si besoin.

Corrigé

Activité 1. 1 : du, au • de, à • 2 : pendant • 3 : dans • 4 : en (pour indiquer la durée de réalisation d'une action) • 5 : il y a • 6 : depuis.

Pour votre information

La durée du travail en France est de 1600 heures par an, soit une moyenne de 35 heures par semaine. L'emploi du temps est différent d'une entreprise à l'autre. Dans telle entreprise, les salariés peuvent travailler 39 heures par semaine, et ont droit à sept, voire à huit semaines de congés dans l'année. Dans telle autre entreprise, les salariés ont droit à cinq semaines de congés par an et prennent des jours de congés tout au long de l'année. Etc. Les heures travaillées au-delà des 1600 heures annuelles sont considérées comme des heures supplémentaires et sont donc rémunérées à un taux majoré.

• Un mot à retenir : le mot « salarié ». Un salarié est un travailleur lié à un employeur par un contrat de travail. En contrepartie de son travail, il reçoit un salaire. Les salariés s'opposent aux « travailleurs indépendants » : ceux-là travaillent pour eux-mêmes, et non pas pour le compte d'un employeur. *Ex.* : les professions libérales (médecins, architectes, avocats, etc.), les artisans, les exploitants agricoles, les petits commerçants.

4 Communiquer un emploi du temps (pages 28 et 29)

Suggestions

Cette leçon porte sur la lettre. La lettre modèle de la page 28 vous permettra d'expliquer les principales règles de rédaction, et plus précisément, à ce stade, les règles de présentation d'une lettre écrite dans un cadre professionnel, en France et en français. Il n'est pas difficile d'écrire une lettre commerciale, à condition toutefois :

– de respecter certaines règles de présentation,

– d'utiliser les formules adéquates,

– de disposer les informations de manière ordonnée.

La rédaction d'une lettre commerciale se fait à l'intérieur d'un cadre rigide. Il est risqué de laisser libre cours à son imagination, aussi bien dans la manière de présenter sa lettre que dans le choix des mots, du discours. Vos étudiants doivent s'en souvenir. Ils doivent, par exemple, reprendre les formules de salutations, et se garder d'inventer leur propre formule. Ils n'hésiteront pas à « copier-coller » les expressions des pages 146 et 147.

Comme on soigne sa tenue vestimentaire lors d'un rendez-vous professionnel, on doit, de la même façon, soigner la présentation d'une lettre. C'est elle qui donne la première impression, et cette première impression a une influence, déterminante, sur le destinataire.

En France, on écrit une lettre sur une feuille blanche, toute blanche, de format A4. Vos étudiants devront y penser quand, plus tard, ils vous remettront leur copie. Ils doivent écrire une lettre aérée, en faisant des marges, et respecter un certain équilibre, en faisant en sorte de disposer les informations sur toute la page (au lieu, par exemple, d'écrire un texte serré dans le haut de la page et de laisser un grand espace blanc en bas).

Bref, dites-leur que le premier regard du lecteur a son importance et qu'une lettre doit d'abord être agréable à regarder.

La disposition des informations à un endroit précis de la page permet au destinataire de repérer d'un coup d'œil les premières informations : nom de l'expéditeur, lieu, date, objet, etc. Vous commenterez une à une les indications qui entourent cette lettre de la société Formatex.

Pour votre information

1. Les mentions sur l'expéditeur

En principe, toute entreprise est tenue d'indiquer :

– sa forme juridique (Formatex est une SARL – une société à responsabilité limitée) ;

– le montant de son capital social (dans le cas de Formatex, 30 000 euros) ;

– son numéro d'immatriculation au Registre du commerce et des sociétés, qui est en France l'administration auprès de laquelle les sociétés doivent déclarer leur existence. Ce numéro est, en quelque sorte, le numéro d'identité de la société et doit être porté sur ses documents.

2. Les mentions sur le destinataire

Il existe au moins quatre cas différents.

Cas 1. Le destinataire est une personne privée :

Cécile Jacquart

44, rue de la Gare

56000 Vannes

• Le nom et l'adresse du destinataire, comme de l'expéditeur, peuvent s'écrire avec une virgule après le numéro, mais également sans aucun signe de ponctuation. On écrit le nom de la ville en lettres majuscules. Les « rue, avenue, boulevard… » s'écrivent en lettres minuscules, mais le nom de la rue commence par une majuscule. Ex. : 6 rue Machin, boulevard de la Gare ; 33 avenue Carotte.

Cas 2. Le destinataire est une entreprise :
Société Formatex
343, avenue du Canada
35000 Rennes

Cas 3. Le destinataire est un responsable anonyme de l'entreprise :
Monsieur le Directeur du personnel
Société Formatex
343 avenue du Canada
35000 Rennes
• Ne pas écrire M. le Directeur, ni Monsieur le Dr, ni M. le Dr.
• Ne pas écrire « Mademoiselle la Directrice », mais de préférence « Madame la Directrice », même si vous savez que la dame est célibataire.

Cas 4. Le destinataire est une personne identifiée de l'entreprise :
Société Formatex
343, avenue du Canada
35000 Rennes
À l'attention de Monsieur Dutrey, Responsable de formation
• Cette dernière mention peut également être portée au-dessus du titre de civilité.

3. Les références
• Les première initiales (JFD) sont celles de la personne qui prend la responsabilité de signer la lettre, les autres (SM) celles de la personne (ou du service) qui a rédigé la lettre. Le numéro est un numéro de classement propre à l'entreprise.

4. La date
• Ne pas oublier la virgule, après le nom de la ville.
• Écrire 1er, puis 2, 3, 4, etc.
• Écrire le mois en toutes lettres et sans majuscules. Ne pas écrire « Mars », mais « mars ».

5. L'objet
• Écrire l'objet sans article et sans verbe.
• L'objet répond à la question : Qu'est-ce qui motive ma lettre ? Ou plus précisément : Quel événement ou quel document motive ma lettre ?
Ex. 1 : Vous avez reçu avec retard la marchandise que vous aviez commandée. Ce n'est pas la première fois. Vous écrivez au fournisseur une lettre de réclamation. ➡ Objet : Vos retards de livraison.
Ex. 2 : Vous recevez une facture qui contient une erreur. Vous écrivez une lettre de réclamation. ➡ Objet : Votre facture n° 325 du 3 mars.
• L'objet est bref. Il tient sur la moitié gauche de la lettre.

6. Les pièces jointes
• On indique d'abord le nombre de pièces jointes, puis ce qu'elles sont. *Ex.* : 1 emploi du temps.
• La description est très simple. Inutile, par exemple, de préciser qu'il s'agit de « 1 emploi du temps concernant le stage Gestion du temps du 3 au 5 septembre ».

7. Le titre de civilité
• Si vous écrivez à une organisation (entreprise, administration), et à personne en particulier, le titre de civilité sera « Messieurs », ou « Madame, Monsieur ».
• Si vous écrivez à une personne en particulier, le titre de civilité sera « Madame, »

ou « Monsieur, » et quelquefois « Chère Madame, » ou « Cher Monsieur, ». On ne mentionne pas le nom patronymique.

• L'appel se termine par une virgule, mais le premier paragraphe de la lettre commence par une majuscule.

• Comme pour l'adresse, ne pas écrire d'abréviations.

8. Les paragraphes

• Ne pas hésiter à faire de nombreux paragraphes (dans la lettre de Formatex, il n'y a qu'une seule phrase par paragraphe).

• Séparer les paragraphes d'un même espace.

• On peut présenter la lettre de deux façons différentes : « à la française » avec un retrait de première ligne ou « à l'américaine ». Les deux types de présentation se valent. Ce qu'il ne faut pas faire, c'est mélanger les genres.

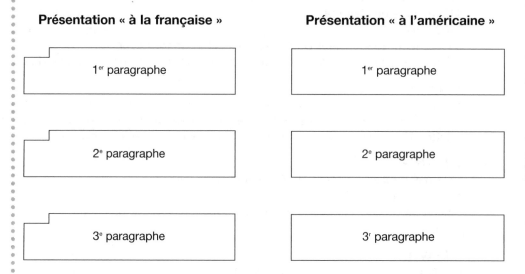

Présentation « à la française »   Présentation « à l'américaine »

1er paragraphe   1er paragraphe

2e paragraphe   2e paragraphe

3e paragraphe   3r paragraphe

9. La signature

• Si l'expéditeur écrit dans le cadre de ses activités professionnelles, la signature comporte trois parties : sa fonction, sa signature, les initiales de son prénom et de son nom. C'est le cas de la lettre Formatex.

• Quand on écrit en son propre nom, et non pas dans le cadre de ses activités professionnelles, il n'y a évidemment pas de fonction à indiquer.

10. Le corps de la lettre

(1) L'introduction

• Elle fait référence à ce qui s'est passé et à ce qui motive la lettre.

Ex.1 : Vous répondez à une lettre. Commencez par faire référence à cette lettre : « J'ai bien reçu votre lettre du 3 mars. »

Ex.2 : Vous écrivez à la suite d'un entretien téléphonique : « Je fais suite à notre entretien téléphonique du 3 mars. »

• Parfois, il est nécessaire d'expliquer ce qui s'est passé en plusieurs paragraphes. Parfois, au contraire, il ne s'est rien passé et c'est la première fois qu'on écrit. Dans ce cas, on entre directement dans le vif du sujet : il n'y a pas d'introduction.

(2) Le développement

• On écrit le plus souvent soit pour transmettre une information soit pour formuler une demande. Soit encore pour faire les deux à la fois.

(3) La conclusion et la formule de salutations

• Dans une conversation, on quitte son interlocuteur en le saluant : Salut ! On peut faire précéder ce salut d'un « Merci ». De la même façon, la lettre peut se terminer par des remerciements suivis de salutations : « Je vous en remercie par avance et vous prie de recevoir, Monsieur, mes salutations distinguées. »

• Ces formules sont des formules figées. Les plus importantes sont répertoriées dans les tableaux des pages 146 et 147 du livre de l'élève.

• Dans les formules de politesse, on doit reprendre le titre de civilité du départ. Si vous avez commencé votre lettre par un « Monsieur le Directeur », terminez ainsi : « Je vous prie de recevoir, *Monsieur le Directeur*, mes salutations respectueuses. »

• La lettre doit se terminer par une formule de politesse. Inutile de s'encombrer l'esprit de 36 différentes formules. La plupart se valent, et il suffit d'en connaître trois ou quatre pour pouvoir rester poli en toutes circonstances.

A. Présentation

Corrigé

Il a raison : 1 ; 3 ; 4 ; 7.
Il a tort : 2 ; 5 ; 6.

B. Rédaction

• Activités 1, 2, page 29

Suggestions

Activité 2. Les étudiants soigneront tout particulièrement la présentation de leur lettre : disposition des informations sur la feuille, utilisation des majuscules, etc.
Comme y invite le tableau COMMENT FAIRE, ce cours de correspondance commerciale peut se poursuivre avec les pages 146 et 147. Cette étude peut aussi se faire plus tard, en une ou plusieurs étapes.

Corrigé

Activité 1. Ordre des paragraphes : c ; e ; a ; d ; b.
Activité 2
Proposition :

Cécile JACQUART
6, avenue de la Gare
56000 VANNES

Société FORMATEX
343, avenue du Canada
35000 RENNES

V/Réf. : JFD/SM 65

Vannes, le 18 février 20XX

Objet : Stage Gestion du temps

Madame, Monsieur,

Je suis inscrite au stage Gestion du temps qui aura lieu du 3 au 5 mars prochain.
Malheureusement, en raison d'un changement dans mon emploi du temps, je ne pourrai pas assister à cette formation.
En conséquence, je vous prie de bien vouloir m'inscrire au stage du mois d'avril.
Je vous en remercie par avance.
Veuillez recevoir, Madame, Monsieur, mes meilleures salutations.

Cécile JACQUART

• L'avis du consultant (page 29)

« C'est plus simple de téléphoner que d'écrire. »

Suggestions

L'avis du consultant conduit à comparer les communications écrite et orale. Quels sont les avantages et les inconvénients de l'une et de l'autre ? Dans quels cas est-il préférable de téléphoner ? Dans quels cas vaut-il mieux écrire ? Etc.

Le dessin suggère que la fiabilité de l'informatique est loin d'être absolue. Est-ce à dire qu'il faille s'en passer ?

Pour votre information

Avec les messages électroniques, l'écrit a tendance à se développer. Il présente de nombreux avantages sur l'oral : il permet plus facilement de toucher un nombre important de personnes, il sert de preuve, il fixe l'attention plus que les paroles, et enfin, surtout peut-être, à la différence des paroles, il ne déforme pas le contenu du message.

À la croisée des cultures (page 32)

Suggestions

Vous pouvez commencer par lire, ou faire lire, ou raconter, avant de faire lire, les histoires des cas 1 et 2. L'essentiel est que tout le monde comprenne.

Pour faire ces activités, suivez la procédure de la méthode des cas (voir page 14). La mise en commun se fait après que les étudiants, par groupes de deux à quatre personnes, ont répondu aux questions sur les deux cas.

La situation n'est pas décrite avec suffisamment de détails pour pouvoir être analysée avec précision. Les étudiants doivent simplement formuler des hypothèses. Il n'y a pas de réponse unique et définitive. Et la réponse n'est pas nécessairement d'ordre culturel.

Le professeur a un rôle d'animateur. Il doit se contenter de recueillir, de faciliter, d'ordonner les propositions. Ce n'est pas à vous de répondre.

Corrigé

Proposition :

• Cas 1

a. Que pouvez-vous dire à Bill pour le rassurer ?

On peut imaginer de nombreuses réponses. Par exemple :

Réponse 1 : Le travail de rénovation réserve des surprises, des imprévus. Il n'est pas étonnant que, pour ce type de travail, les délais ne soient pas respectés, c'est presque chose normale.

Réponse 2 : Pour gagner le marché, Vincent a proposé des délais serrés, en sachant qu'il ne serait pas capable de les tenir. De ce point de vue, il a fait preuve d'une certaine malhonnêteté, mais il serait exagéré de penser qu'il ne terminera pas le travail.

Réponse 3 : D'après le document joint, les délais n'auraient pas la même importance en France et aux États-Unis. Dans nombre de pays, on comprend, on s'attend même à ce que les délais ne soient pas respectés. Aux États-Unis, d'où vient Bill, les choses sont différentes : le respect des délais fait partie intrinsèque de la qualité du produit (le mot anglais *deadline* est assez significatif : Passez la ligne, et vous êtes mort.). Vincent, de son côté, n'attache pas autant d'importance aux délais. De son point de vue, on peut les dépasser sans affecter la qualité du travail.

Réponse 4 : Quand il était enfant, Vincent arrivait tous les jours en retard à l'école. Et pourtant, il a toujours été le premier de sa classe. Mais que Bill se rassure. Vincent fera comme il a toujours fait : il remettra le travail avec retard, et ce sera un travail impeccable.

b. Que lui conseillez-vous de faire ?

Bill peut expliquer à Vincent qu'il a des attentes spécifiques et lui dire aussi ce qu'il ressent. En tout cas, il devra être prudent la prochaine fois, se rappeler que, dans bien des cultures, les délais ne sont pas toujours respectés, et prendre des mesures en conséquence.

Cela dit, Vincent étant le fournisseur, on se dit que ce serait plutôt à lui de répondre aux attentes de son client, et à lui d'informer Bill de l'avancée des travaux, pour le rassurer un peu. Mais on nous demande de conseiller Bill, pas Vincent.

• Cas 2

Comment expliquez-vous la réaction des Français ?

Ce petit cas raconte les déboires d'un jeune Allemand, 31 ans, lors de son voyage d'affaires en France. Comment expliquer les malentendus ? Là aussi, on peut imaginer de nombreuses réponses. Par exemple :

Réponse 1 : Les Allemands ayant la réputation d'être ponctuels, les Français sont moins disposés à pardonner le retard de Philipp. Ils auraient été plus indulgents avec un Italien.

Réponse 2 : 40 minutes de retard pour un rendez-vous professionnel, c'est beaucoup, même au sud de la France. Les Français étaient prêts à accepter un retard de 15 minutes, mais 40 minutes, c'est trop.

Réponse 3 : Le client est roi et les Français sont les clients. Ce n'est pas à eux d'attendre, pensent-ils. Dans certaines situations – celles, par exemple, d'un candidat se rendant à un entretien d'embauche –, il faut savoir être à l'heure, même si l'on sait pertinemment que l'autre sera en retard.

Réponse 4 : Pour les deux premiers rendez-vous, Philipp a eu affaire à des clients retardataires. Pour le troisième rendez-vous, pas de chance, il est tombé sur un client ponctuel.

Réponse 5 : Ce troisième client vient d'avoir une journée particulièrement chargée. Il est de très mauvaise humeur. De plus, il a un rendez-vous important dans une heure. Il est extrêmement stressé.

S'informer sur le lieu de destination (pages 34 et 35)

A. Le pays

Suggestions

Cette leçon sera l'occasion d'étudier certains aspects des civilisations française et européenne.

• Activité 1, page 34

a. Pays frontaliers

Suggestions

La France étant aujourd'hui fortement intégrée à l'Union européenne, il faudrait parler autant de la France que de l'Europe. On pourra notamment citer les grandes dates de la construction de l'Union européenne.

Des pays qui apparaissent sur la carte, seule la Suisse n'est pas membre de l'Union européenne (les Suisses, comme les Norvégiens, ayant rejeté par voie de référendum plusieurs propositions d'adhésion).

Corrigé

Suisse : 4. • Belgique : 1. • Luxembourg : 2. • Italie : 5. • Espagne : 6.

Pour votre information

La construction européenne : les grandes dates.

Les étapes d'adhésion

1957 : Allemagne, Benelux (Belgique, Pays-Bas, Luxembourg), France, Italie.

1972 : Danemark, Irlande, Royaume-Uni.

1981 : Grèce.

1986 : Espagne, Portugal.

1995 : Autriche, Finlande, Suède.

En 2004, dix nouveaux pays devraient entrer dans l'Union européenne : Pologne, Hongrie, République tchèque, Slovaquie, Slovénie, Républiques baltes (Estonie, Lituanie, Lettonie), Malte, Chypre. La population totale de ces pays n'est que de 75 millions d'habitants, dont la moitié en Pologne, contre 380 millions chez les Quinze. Leur PIB (produit intérieur brut) cumulé est inférieur à celui des Pays-Bas et s'élève à moins de 5 % de celui des Quinze.

Les grands traités

1958 : Le traité de Rome met en place la libre circulation des marchandises (Union douanière).

1986 : L'Acte unique prévoit que les hommes, les biens et les capitaux peuvent circuler librement.

1992 : Les traités de Maastricht prévoient de créer une monnaie unique, une citoyenneté européenne, ainsi qu'une politique étrangère et de sécurité commune.

1997 : Le traité d'Amsterdam renforce la coopération entre les États membres en matière d'emploi, de sécurité et de justice.

2001 : Le traité de Nice prévoit les grandes lignes d'un projet de réforme des institutions européennes.

L'euro
1er janvier 1999 : Les transactions boursières se font en euros.

1er janvier 2002 : Mise en circulation des pièces et billets.

b. Villes françaises

Corrigé

Chartes : d. • Strasbourg : b. • Marseille : h. • Lyon : f. • Bordeaux : e. • Cannes : g. • Lille : a.

Pour votre information

La France administrative
Le découpage administratif : régions, départements, communes

La France est divisée en 22 régions et en 96 départements en métropole. Il faut ajouter 4 régions d'outre-mer qui sont également 4 départements. Le pays détient le record du monde en ce qui concerne le nombre de communes : il en existe 36 500, autant que dans tous les pays de l'Union européenne !

Les départements existent depuis la révolution de 1789. Ils sont de taille semblable. Leurs noms sont des noms de rivières ou de montagnes : le Rhin, la Loire, les Hautes-Alpes, etc. La ville la plus importante du département, le chef-lieu, a été située de telle sorte qu'on puisse s'y rendre à cheval en une journée de n'importe quel point du département.

Les régions existent depuis 1960 et sont dotées, depuis 1982, d'un pouvoir autonome. La région la plus peuplée est l'Ile-de-France (11 millions d'habitants). La moins peuplée est l'Auvergne.

France : les 5 plus grandes agglomérations

	Commune	Agglomération
Paris	2 200 000	9 500 000
Lyon	420 000	1 300 000
Marseille	800 000	1 280 000
Lille	180 000	980 000
Bordeaux	220 000	700 000

• Activité 2, page 34
Suggestions

Les explications du *Petit Robert* permettent de compléter la majeure partie du tableau, mais vos étudiants doivent également faire appel à leurs connaissances personnelles. Si besoin, soufflez-leur que les Maghrébins constituent aujourd'hui la plus forte population d'étrangers vivant en France (35 % du total des étrangers).

Corrigé

Celtes (IXe siècle av. J.-C.) • Grecs (VIIe siècle av. J.-C.) • Romains (Ier siècle av. J.-C.) • Barbares (Ve siècle) • Arabes (VIIIe siècle) • Vikings (Xe siècle) • Belges et Italiens (1850-1939) • Portugais et les Maghrébins (1945-1974).

Pour votre information

La France est un carrefour d'invasions et d'immigrations : *les Celtes* sont venus de l'est ; *les Grecs* se sont installés sur la côte méditerranéenne ; *les Romains*, venus d'Italie, ont peu à peu étendu leur domination sur une centaine de tribus celtes qu'ils appelaient Galli ou Gaulois ; *les Barbares*, venus de l'est, ont envahi la Gaule romaine et se sont installés parmi environ 10 millions de Gallo-Romains ; vers 500, l'un de ces peuples barbares, les Francs, dominait pratiquement toute la Gaule ; *les Arabes*, venus d'Espagne, ont envahi le sud de la France ; *les Vikings*, venus des pays scandinaves, se sont installés en Normandie.

La politique centralisatrice de la monarchie, de la Révolution et de la République a contribué à forger une unité française. Puis, au XIXe siècle, le développement des chemins de fer, la mise en place de l'enseignement primaire obligatoire et du service militaire généralisé ont fortement renforcé l'intégration nationale.

Le Français est le résultat de cette fusion de peuples aux cultures différentes.

B. La capitale
• Activités 1, 2, page 35
Suggestions
Activité 1

En complétant le texte sans se référer aux mentions de l'exercice **b.**, vos étudiants peuvent évaluer leurs connaissances.

Activité 2

À supposer que les questions de l'exercice 5, page 21 du CAHIER D'EXERCICES, s'appliquaient à Paris, vos étudiants pourraient-ils y répondre ? Si tel n'est pas le cas, demandez-leur de rechercher les réponses dans un guide (Internet ou papier).

Corrigé

Activité 1

(1) 60 • (2) 10 • (3) Lyon • (4) Marseille • (5) 1,5 • (6) 28 • (7) août • (8) janvier • (9) 9 • (10) 14 • (11) 19 • (12) samedi • (13) dimanche • (14) mardi.

Activité 2

Exercice a. 1 : de • 2 : ce que • 3 : que • 4 : combien, si, où.

Pour votre information

Les 10 plus grandes agglomérations du monde.

(en millions d'habitants)

Tokyo (Japon)	35
New York (États-Unis)	21
Séoul (Corée du Sud)	20
Mexico (Mexique)	20

São Paolo (Brésil)	19
Osaka (Japon)	18
Los Angeles (États-Unis)	17
Bombay (Inde)	17
Le Caire (Égypte)	15
Jakarta (Indonésie)	14

2 Se déplacer en ville (pages 36 et 37)

A. S'informer sur les conditions de transport

• **Activités 1, 2, 3, page 36**

Suggestions

Activité 1

Les étudiants font une liste de questions portant sur les types de transport (bus, tramway, métro, taxi, etc.), le prix, le confort, la rapidité, l'importance du réseau, etc. Ils essaieront de répondre à ces questions à la fin de l'activité 3.

Activité 2

Les étudiants ayant voyagé à Paris devraient connaître la plupart des réponses. Les autres se contentent de faire des hypothèses, en justifiant leurs choix.

Un exercice intéressant, mais difficile, consiste à rechercher, par groupes de deux, une justification à la fois à une affirmation et à son contraire. Par exemple :

1. *À Paris, le métro est cher.*

On peut dire « Vrai » parce qu'on pense que Paris est une ville chère et qu'il n'y a pas de raison pour que le métro soit bon marché. On peut dire « Faux » en expliquant que le métro est un service public financé par la collectivité.

2. *Le métro circule toute la nuit.*

« Vrai », diront certains, parce que Paris vit aussi la nuit. « Faux », diront les autres, en avançant que les voyageurs sont trop peu nombreux la nuit pour justifier le maintien du service.

3. *Le métro dessert seulement le centre de Paris.*

On peut dire « Vrai » parce qu'on estime que le métro n'est pas assez rapide pour desservir la lointaine banlieue. « Faux » parce qu'on estime que Paris n'est pas seulement un centre, mais aussi et surtout une vaste agglomération de plus de 10 millions d'habitants.

4. *Le tarif est toujours unique, quelle que soit la distance parcourue.*

« Vrai » parce que cette solution, croit-on, aurait le mérite de la simplicité : plus simple pour les voyageurs comme pour l'entreprise (organisation, contrôle, etc.). « Faux » parce que, dans bien des cas, le coût du transport est proportionnel à la distance parcourue.

5. *Les jeunes de moins de 18 ans bénéficient d'une réduction de 25 %.*

« Vrai » parce que le métro étant un service public, il est normal que les jeunes, qui ont généralement un budget serré, soient avantagés. « Faux » parce qu'un adolescent peut être considéré comme un adulte.

6. *Avec un ticket de bus, on peut prendre le métro.*

« Vrai » parce que le bus est le prolongement d'un trajet en métro (ou vice versa). « Faux » parce que bus et métro sont deux services distincts.

Activité 3

Vos étudiants tireront d'autres informations de ce texte : Paris est divisé en 8 zones, les zones 1 et 2 couvrent le centre, il est meilleur marché (à l'unité) d'acheter un carnet de dix tickets, il existe des prix forfaitaires, les enfants paient moins cher, etc.

Corrigé

Activité 3

Faux : 1, 2, 3, 4*, 5. Vrai : 6

* À l'intérieur des zones 1 et 2, qui couvrent ce qu'on appelle « Paris intra-muros », le tarif est unique, quelle que soit la distance parcourue,

Pour votre information

Paris est une ville dense, les distances sont relativement courtes, et la marche ou le vélo constituent d'excellents moyens de se déplacer et d'échapper aux embouteillages. Mais le piéton comme le cycliste doivent faire attention à l'agressivité des automobilistes. Pour s'aventurer en voiture dans le centre-ville, il vaut mieux être d'un naturel calme et patient : la circulation est intense, et le stationnement est cher et difficile. Les bus, qui circulent dans des couloirs réservés, le métro et le RER (Réseau express régional) constituent des moyens rapides et peu coûteux de se déplacer.

B. Consulter un plan du métro
• Activités 1, 2, 3, page 37

Corrigé

Proposition :
Activité 1

Les renseignements donnés par le voyageur sont exacts.

Autre itinéraire possible : « Vous prenez la ligne 8, direction Créteil. À Strasbourg-Saint-Denis, prenez la correspondance direction Porte de Clignancourt, et descendez à Gare de l'Est. »

Activité 2

Message 1. Un train sur deux fonctionne. Il faut être patient. Si vous vous trouvez dans le métro à une heure de pointe, attendez-vous à ce que la rame soit bondée.

Message 2. Il y a des pickpockets dans la station. Attention à votre portefeuille ! Les touristes sont les premières victimes de vols.

Message 3. En raison d'un mouvement social (autrement dit, d'une grève), la ligne 6 est fortement perturbée (autrement dit, le trafic fonctionne très mal). Il faut donc éviter de prendre cette ligne, quitte à faire un détour.

Message 4. Lorsqu'un conducteur de métro est agressé, la coutume veut que ses collègues travaillant sur la même ligne arrêtent le travail, en signe de protestation. C'est pour cette raison que le service est totalement interrompu sur la ligne 5. Inutile donc de compter prendre cette ligne.

Message 5. Le conducteur est probablement l'auteur de ce message. Il demande aux passagers qui attendent sur le quai de ne pas monter dans la rame après le signal. Le conducteur actionne toujours ce signal avant d'enclencher la fermeture des portes.

Message 6. Si vous êtes dans la rame, vous devez attendre. Le train ne va pas tarder à repartir.

Activité 3

Il faut trouver un itinéraire court et, si possible, direct ou, du moins, ne nécessitant qu'un seul changement.

– *De la Gare de l'Est à Montparnasse :* C'est direct. Prenez la ligne 4, direction Porte d'Orléans et descendez à Montparnasse-Bienvenüe.

– *De la Gare de l'Est à La Défense :* Prenez la ligne 4, direction Porte d'Orléans. À Châtelet, prenez la correspondance, ligne 1 ; direction La Défense. Descendez à La Défense. (Une autre possibilité existe : prendre la ligne A du RER. Mais cette ligne n'est pas indiquée car le plan de cette page 37 est simplifié.)

– *De la Gare de l'Est à Pigalle :* Prenez la ligne 4, direction Porte de Clignancourt. À Marcadet-Poissonniers, prenez la correspondance direction Mairie d'Issy, ligne 12. Descendez à Pigalle.

Pour votre information

Les grèves dans les transport publics français sont fréquentes. La SNCF (Société nationale des chemins de fer français) détient – et de très loin – le record national du nombre de journées de grève. Il ne faut pas pour autant en déduire que les travailleurs français sont toujours en grève. Au contraire : dans les entreprises privées, et notamment dans les PME (petites et moyennes entreprises), les grèves sont rares. À côté du métro, le RER (Réseau express régional) est un réseau desservant la grande banlieue. Quatre lignes (A, B, C, D) convergent vers le centre de Paris. Dans Paris, le RER communique avec le réseau du métro. De nombreuses villes de banlieue, les aéroports et certains sites touristiques sont desservis par le RER : l'aéroport Roissy-Charles-de-Gaulle (ligne B3), l'aéroport d'Orly (lignes B4 et C2), Versailles (ligne C5), Disneyland (ligne A4), etc.

3 ❯ Choisir un itinéraire (pages 38 et 39)

A. Demander son chemin

• **Activités 1, 2, 3, page 38**

Suggestions

Activité 1

Dans l'explication d'Alexandre Kicétou, les étudiants relèveront certaines expressions permettant d'indiquer un lieu ou une direction : *vous tombez sur, jusqu'au bout de, tournez à gauche, continuez tout droit, vous y êtes, à votre gauche, de l'autre côté de.* Ils retrouveront la plupart de ces expressions dans le tableau de la page 39.

Activité 2
Comme dans l'exercice précédent, les étudiants relèveront les mots ou expressions permettant d'indiquer un lieu ou une direction.

Corrigé

Activité 1
Le touriste veut aller au Palais du Louvre, qu'il ne manquera pas de voir, après avoir traversé le Pont-Neuf.

Activité 2
La réponse du passant A est exacte, mais pas celle du passant B. En effet, au bout de la rue de Sévigné, il faut tourner à droite, dans la rue des Francs-Bourgeois, et non pas à gauche, comme l'indique le passant B.

Activité 3
Proposition :
Exercice a. J'**ai pris** la rue de Rivoli et j'**ai continué** tout droit. Avant d'arriver à la place des Vosges, j'**ai dû** prendre une petite rue à ma gauche. C'**était** la rue de Birague, je crois. La place des Vosges **était** au bout de la rue.

Exercice b. J'**ai pris** la rue de Rivoli et je **suis allé** jusqu'à la rue de Sévigné. C'**était** une petite rue sur ma gauche. J'**ai marché** jusqu'au bout de la rue et j'**ai tourné** à gauche, dans la rue des Francs-Bourgeois. J'**ai continué** tout droit, mais je ne **suis pas arrivé** place des Vosges. C'**était** le mauvais chemin.

B. Expliquer le bon chemin

Corrigé

Proposition :
1. *Comment vous rendre rue Bonaparte* : Vous prenez la rue St-Antoine, et vous continuez tout droit dans la rue de Rivoli, qui est le prolongement de la rue St-Antoine. Juste avant d'arriver au Louvre, vous traversez le pont, à votre gauche. C'est le Pont-Neuf. De l'autre côté de la Seine, vous prenez à droite le quai de Conti. Vous longez la Seine, la rue Bonaparte est la troisième rue à votre gauche.

2. *Comment vous rendre à Notre-Dame* : Vous prenez la rue St-Antoine. Prenez la deuxième rue à gauche, c'est la rue du Renard. Vous traversez la Seine. Vous verrez, la cathédrale est juste devant.

3. *Comment vous rendre rue St-Gilles* : Vous prenez la rue des Tournelles. La rue St-Gilles est la quatrième rue, à votre gauche.

4. *Comment vous rendre au Forum des Halles* : Vous prenez la rue St-Antoine. Vous continuez tout droit dans la rue de Rivoli, et vous prenez à droite la rue des Halles ou le boulevard de Sébastopol. Cent mètres plus loin, vous verrez le Forum des Halles.
• Comment vous rendre quai St-Bernard (en considérant que la question est posée par une personne se trouvant rue St-Martin) : Continuez tout droit vers la Seine, traversez la Seine, prenez à gauche sur le quai St-Michel, longez la Seine et vous arriverez au quai St-Bernard.

4 Faire du tourisme (pages 40 et 41)

A. Un choix difficile

• Activités 1, 2, 3, page 40

Suggestions

Activité 2

Les étudiant relèveront les trois étapes qui ont marqué le Marais :

– d'abord, au XVIIᵉ siècle, lieu de résidence des aristocrates,

– puis quartier de l'artisanat au XIXᵉ siècle,

– et enfin, à partir de 1962, quartier de galeries d'art, de boutiques de vêtements, de restaurants.

Activité 3

Les étudiants écrivent deux textes de 70 mots environ.

Corrigé

Activité 2

Exercice a. Le Marais est abandonné par ses propriétaires. → Ses propriétaires abandonnent le Marais. • À partir de 1962, le quartier est restauré. → À partir de 1962, on restaure le quartier.

Exercice b. 1. Les ateliers des artisans *ont été remplacés* par les restaurants. • 2. Notre voyage *est organisé* par l'agence Dutour. • 3. Vous *serez accompagné* d'un/par un bon guide. • 4. Nous *avons été accueillis* par une charmante hôtesse.

Exercice c. 1. On nous recommande fortement cet hôtel. • 2. Un célèbre architecte a construit le nouvel hôtel. • 3. Ce genre de quartier attire les touristes. • 4. Félix nous a mal reçus.

Pour votre information

Au XVIᵉ siècle, la noblesse fit construire dans le quartier du Marais des demeures somptueuses qui subsistent encore. Pour beaucoup d'entre elles, ces demeures, appelées hôtels particuliers, sont devenues des musées. Le musée Carnavalet, qui retrace l'histoire de Paris depuis l'époque romaine, est l'un des plus passionnants.

B. Une promenade en bateau

• Activité 1, page 41

Corrigé

(1) pont • (2) Cité • (3) la Concorde • (4) l'Assemblé nationale • (5) musée • (6) Louvre • (7) peintures.

Pour votre information

L'avenue de l'Opéra : Au milieu du XIXᵉ siècle, le baron Haussmann transforma Paris en démolissant de vieux quartiers et en créant de grandes avenues. L'avenue de l'Opéra est l'une d'entre elles.

Le boulevard de la Madeleine : C'est un des huit « Grands Boulevards » reliant la place de la Madeleine à la place de la République.

Le Grand Palais : Après avoir été longtemps le lieu de grandes manifestations annuelles (comme la Foire internationale d'art contemporain), le Grand Palais accueille aujourd'hui des expositions dans certaines de ses salles.

L'île de la Cité : Paris prend son origine sur cette île qu'occupait un simple village quand les Romains l'envahirent en 52 av. J.-C. Des millions de touristes viennent chaque année y admirer la cathédrale Notre-Dame.

Les Invalides : Le musée de l'Armée et le musée Rodin se trouvent dans le quartier des Invalides.

Le jardin des Tuileries : Ce jardin propose de nombreux divertissements pour les enfants : petits bateaux voguant dans un bassin, marionnettes, promenades en poney, etc.

La Madeleine : L'église de la Madeleine, dont la construction s'est étalée de 1764 à 1845, ressemble à un imposant temple grec.

Le musée du Louvre : Après avoir été le palais des rois de France pendant près de quatre siècles, il est devenu un musée en 1793, par une décision de l'Assemblée nationale.

Le musée d'Orsay : Ce musée ne contient pas seulement des œuvres impression-nistes (Monet, Manet, Renoir, Degas, Pissarro, etc.). Il présente un vaste panorama de la création artistique de la seconde moitié du XIXᵉ siècle.

L'Opéra : La construction de l'Opéra Garnier commença en 1862 et s'acheva en 1875. On dit que ce palais, qui mêle tous les styles, ressemble à une pâtisserie. Il existe à Paris un second opéra, inauguré le 14 juillet 1989, situé sur la place de la Bastille, dit « Opéra Bastille », et dont l'architecture massive soulève encore de nom-breuses polémiques.

La place de la Concorde : Au centre de cette immense place se dresse l'obélisque de Louqsor, arrivé tout droit du temple de Ramsès II (Thèbes, Égypte).

Le Petit Palais : Le Petit Palais, qui date, comme le grand, de l'exposition univer-selle de 1900, abrite aujourd'hui le musée des Beaux-Arts de la ville de Paris.

La place Vendôme : Cette place, au centre de laquelle se dresse la statue de Louis XV, est restée quasiment intacte depuis sa construction au XVIIᵉ siècle. Elle abrite des maisons de haute couture, de grands joailliers, des banques, l'hôtel Ritz.

Le pont Alexandre-III : Ce pont, construit pour l'exposition universelle de 1900, est l'un des plus beaux de Paris. Il porte le nom du tsar Alexandre III, père de Nicolas II, dernier empereur de Russie.

• L'avis du consultant (page 41)

« À Paris, n'oubliez pas de visiter Disneyland. »

Suggestions

Vaut-il la peine de visiter Disneyland ? C'est la question que vous pouvez poser à vos étudiants.

– Arguments pour : Quand on fait du tourisme, c'est aussi pour s'amuser et à Disneyland, on s'amuse. Il y a peu de parcs d'attraction de cette taille dans le monde, autant en profiter.

– Arguments contre : Paris offre de nombreuses richesses et on a mieux à faire que de passer son temps dans un parc d'attraction. Quand on est en France, c'est pour découvrir la culture française.

À la croisée des cultures (page 44)

Corrigé

Proposition :

b. *Le problème :* M. Bidochon est fatigué de ne visiter QUE des monastères. Il souhaiterait voir autre chose. Mais quoi ? Sans doute est-ce au guide de faire des propositions. Mais le guide a du mal à dissimuler sa mauvaise humeur. Il a un programme bien établi, le voyage est organisé, il sera difficile, semble-t-il, d'apporter des modifications.

c. *La suite du voyage :* Dans la suite de la bande dessinée, le guide ne cède pas aux protestations de M. Bidochon et refuse de modifier quoi que ce soit du programme.

• L'avis du consultant (page 44)

« *La meilleure manière de découvrir une culture étrangère, c'est de partir en voyage organisé.* »

Suggestions

Partisans et adversaires du voyage organisé confronteront leurs idées.

Pour votre information

Avantages et inconvénients du voyage organisé

	Avantages	Inconvénients
Prix	Bon marché, nombreux forfaits.	Forfaits imposés, il est toujours possible de voyager moins cher.
Prise en charge	Comme son nom l'indique, le voyage est organisé, le touriste n'a plus qu'à se laisser guider.	On ne peut pas découvrir par soi-même, on est privé d'initiatives.
Compagnie des autres	On ne se sent pas seul.	On ne peut pas être seul.

4 hôtel

1) Choisir un hôtel (page 46 et 47)

A. Enquête

• **Activités 1, 2, 3, page 46**

Suggestions

Activité 1

Comme il est suggéré, cette activité permet d'étudier les pronoms relatifs simples. Les étudiants feront les exercices A et B situés à la fin du livre de l'élève (page 138) ainsi que ceux du cahier d'exercices (exercices 1 et 2, page 28). L'activité sera également l'occasion d'introduire le lexique utile dans des situations de communication se rapportant à l'hôtel : le confort, l'emplacement, la vue, etc.

Activité 2

Les étudiants commencent par écouter et remplissent le questionnaire à partir de la seule écoute. Puis il lisent le témoignage de Pierre.

Demandez-leur de rechercher les pronoms relatifs dans la déclaration de Pierre : *Ce que* je veux…, *ce qui* compte le plus…, la ville *où* je me trouve…

Savent-ils ce que veut dire « dormir comme un loir » ? Connaissent-ils d'autres expressions de ce type ?

Activité 3

À partir de cette activité, les étudiants expliqueront comment ils conçoivent un (bon) hôtel. Demandez-leur des précisions : Comment peut-on se distraire dans un hôtel ? Qu'est-ce qu'un hôtel cher ? Bon marché ? Confortable ? Qu'entend-on par un hôtel qu'on ne retrouve pas partout ? Qu'est-ce qu'un hôtel ancien ? Peu élevé ? Etc.

Corrigé

Activité 1

1a, 1b, 1c : où • 2 : Ce que • 3a : qui • 3b • qu' • 3c : qui • 4 : dont • 5 : ce qui • 6a, 6b, 6c, 6d : qui.

Activité 2

1a (Dormir est ce qui semble intéresser le plus Pierre, il dit aussi qu'il ne mange pas dans l'hôtel.) • 2c (Il veut être proche de ses clients.) • 3c (Il dit explicitement qu'il aime autant trouver une ambiance familiale.) • 4c (Il a le vertige.) • 5a (« Pour dormir, dit-il, ce qui compte le plus, c'est le matelas. ») • 6d (Il aime les gens souriants.).

Pour votre information

« **Loir**. Petit rongeur d'Europe méridionale et d'Asie Mineure, au pelage gris, hibernant, familier des maisons isolés (Long. 15 cm). *Dormir comme un loir*, longtemps et profondément. » (*Le Petit Larousse*)

On dort comme un loir, on mange comme un ogre, on boit comme un trou, on parle comme une pie, on crie comme un putois.

B. Parc hôtelier
• Activités 1, 2, 3, 4, page 47
Suggestions
Activité 1
Procédez de la même façon que pour l'activité 2, page 36. Même si les étudiants ne connaissent pas les hôtels parisiens, ils s'en font certainement une idée. Ils *feront des hypothèses* et justifieront leurs réponses.

Comme pour l'activité 2, page 36 du livre de l'élève, ils peuvent rechercher, par groupes de deux, une justification à la fois à une affirmation et à son contraire. Par exemple :

1. « *À Paris, il y a de nombreux hôtels, de toutes catégories.* »
On peut dire « Vrai » en expliquant que Paris accueille des touristes du monde entier, de toutes catégories, de tous budgets, qu'il doit bien y avoir des hôtels pour tout le monde. On peut dire « Faux » parce qu'on s'imagine que Paris est une ville de luxe, qui ne peut abriter que des hôtels de luxe.

2. « *Les tarifs varient beaucoup selon les saisons.* »
« Vrai » parce que certaines époques de l'année seraient moins touristiques que d'autres et que les prix varieraient donc selon la demande. « Faux » parce que Paris serait un centre touristique aussi bien qu'un lieu de rencontre pour les affaires. Il y aurait toute l'année de nombreuses manifestations commerciales (salons, foires). Grâce à ces activités économiques, la demande y serait soutenue tout au long de l'année.

3. « *Toutes les chambres d'hôtel ont une salle de bain.* »
Certains diront « Vrai » parce qu'ils s'imaginent que dans une ville comme Paris, tout le monde a l'électricité, l'eau courante... et, bien sûr, une salle de bain. Il est plus réaliste de dire « Faux » parce que, comme dans n'importe quelle grande ville, aussi bien équipée soit-elle, il existe des appartements sans confort... et des hôtels sans salle de bain.

4. « *Il est recommandé de prendre une demi-pension.* »
« Vrai » parce qu'il serait plus simple de prendre ses repas à l'hôtel que de partir à la recherche d'un restaurant. « Faux » parce qu'il faudrait profiter des restaurants de Paris, nombreux et variés, au lieu de se contenter de la cuisine du seul restaurant de l'hôtel.

5. « *Le petit déjeuner est toujours compris dans le prix.* »
« Vrai » parce que, pense-t-on, au même titre qu'un lit, le petit déjeuner serait un service minimal offert par tous les hôtels. « Faux » parce que dire que tous les hôtels proposent un petit déjeuner ne voudrait pas dire qu'ils le proposent gratuitement.

6. « *Le parking de l'hôtel est toujours gratuit.* »
« Vrai » parce qu'un hôtel aurait tout intérêt à proposer gratuitement ce service pour attirer les clients, surtout dans une ville comme Paris, où les places de stationnement sont rares et chères. « Faux » parce qu'une place dans un parking serait un extra qui se paie, surtout à Paris.

Activité 2
Les étudiants justifieront leurs réponses à l'aide du document. Pour chacune des affirmations, demandez-leur ce qu'ils apprennent de plus en lisant le texte. Pour l'affirmation 1, par exemple, selon laquelle il y a de nombreux hôtels de toutes caté-gories, on peut dire non seulement que Paris offre un très grand nombre de chambres d'hôtel, des plus luxueuses au plus simples, mais aussi que les hôtels sont classés en

six catégories, que le ministère du Tourisme attribue des étoiles, etc. Bref, les étudiants doivent tirer le maximum d'informations du document. Demandez-leur également ce qu'ils aimeraient savoir de plus sur les hôtels et plus généralement sur les modes d'hébergement à Paris (location de logements, séjour chez l'habitant, auberge de jeunesse, etc.). Pour plus d'informations, renvoyez-les au site Internet de l'Office de tourisme de Paris.

Activité 4
Vos étudiants trouveront des informations sur Internet ou à l'Office du tourisme de la ville. Il peut être intéressant de comparer les hôtels parisiens avec les hôtels de leur ville. Notez bien qu'il s'agit de présenter le parc hôtelier, et non pas un hôtel. C'est dans la leçon suivante que nous nous intéresserons à un hôtel en particulier.

Corrigé
Activité 2
Vrai : 1 • Faux : 2, 3, 4, 5, 6.
Activité 3
1. dans lequel • 2. pour lequel • 3. à côté duquel • 4. auquel.

Pour vote information
Le mot « spartiate » vient de « SPARTE », une ville de Grèce ancienne, réputée pour sa rigueur et l'austérité de ses coutumes.

2 Réserver une chambre d'hôtel (pages 48 et 49)
A. Rechercher des informations
Suggestions
Les photos apportent quelques informations : le mobilier est ancien (style directoire), la salle à manger est aménagée dans une cave, etc. Ce décor est censé donner à l'hôtel un aspect de charme et de bon goût.
Les étudiants peuvent consulter le site de Cybevasion (www.cybevasion.fr) sur lequel est présenté l'hôtel Tronchet.
Pour terminer, demandez-leur de présenter un hôtel parisien, qu'ils rechercheront sur ce site ou sur un autre site. Cet hôtel devra répondre à des critères précis qu'il vous appartient de définir (prix, prestations, emplacement, catégorie, etc.). Faites utiliser les adjectifs démonstratifs.

Corrigé
Exercice a. Hôtel 3 étoiles, de 145 à 165 euros la chambre.

Exercice b. C'est un hôtel de charme, nous dit-on. Ses atouts sont présentés dans le texte encadré et concernent :
– l'emplacement : en plein cœur de Paris, proche de l'Opéra, des Grands Magasins et de la Madeleine ;
– l'accueil : particulièrement chaleureux ;
– le cadre : gai, confortable, de bon goût.

Exercice c. Les chambres sont équipées soit d'une douche soit d'une baignoire. Toutes ont un sèche-cheveux. Les prestations proposées sont indiquées par des symboles :

  Chambres avec douche ou avec baignoire.

 Toilettes.

 Chiens admis (Le sont-ils dans les chambres ?).

 Chaînes internationales.

 Sèche-cheveux.

 Minibar (réfrigérateur contenant des boissons)

 Canal Plus (chaîne française de télévision payante)

 Télécopie.

 Coffre privé.

 Chambre non fumeur.

 Connexion Internet.

Exercice d. *Présentation* : page d'accueil reproduite dans le livre. Chambre : photo d'une chambre « pleine de charme ». *Photos* : le salon, l'entrée, la salle à manger. *Situation* : indication de la ou des stations de métro les plus proches, moyens d'accès à l'hôtel à partir de l'aéroport, cartes du quartier. *Réservation* : fiche de réservation à remplir et à envoyer.

Pour votre information

Cybevasion est un guide de tourisme et d'hébergement pour la France entière, riche en contenu : hôtels, campings, gîtes, restaurants, cartes interactives, photos, près de 3 000 liens, etc.

B. Passer à l'action
• Activité 1, page 49
Suggestions

Exercice a. Les étudiants sont placés dans la situation de l'employé d'un hôtel chargé de prendre une réservation. Assurez-vous que la consigne a été comprise. Puis demandez à chacun de remplir la fiche de réservation, sans donner davantage de précisions. Vous apporterez des explications, lexicales notamment, au moment de la correction.

Exercice b. À la fin de cette activité, et avant de passer à la suivante, assurez-vous que le dialogue a été compris de tous. Posez quelques questions : Quel est le prix de la chambre ? À quelle condition peut-on réserver ? A-t-on la possibilité d'annuler ? Etc. Demandez à vos étudiants de relever les questions posées par l'employé de l'hôtel et de faire une liste des informations exigées pour la réservation d'une chambre d'hôtel.

Corrigé

Exercice a. On ne connaît pas le type de chambre, et on ne sait pas si Mme Legrand prendra son petit déjeuner, ni par quel moyen elle paiera. Les autres parties de la fiche de réservation peuvent être remplies.

Étant donné la durée du trajet entre Paris et Bruxelles (1 h 25) et l'heure des rendez-vous (le 3 mars, à 16 h 30, et le 4 mars, à 17 h 30), on peut supposer que Mme Legrand ne passera à Bruxelles que la nuit du 3 au 4 mars. Elle pourrait aussi faire deux aller-retour, les 3 et 4 mars, et dans ce cas, elle n'aurait même pas besoin d'aller à l'hôtel.

Exercice b.

Hôtel Tronchet

Fiche de réservation

DEMANDE
Date d'arrivée : 3 mars
Nombre de chambres : 1
Type de chambre : standard, lit double
Petit déjeuner : oui ☒   non ❏
Mode de paiement : carte Visa

COORDONNÉS
Nom : Cheval
Prénom : Mireille
Société : Cerise
Adresse : 76, rue Grande
         1050 Bruxelles

Pour votre information

Pour la demande de réservation, vous trouverez le formulaire complet au www.cybe-vasion.fr/hôtels/France/75/8/hotel-tronchet/.

• Activité 2, page 49
Suggestions
La préparation peut se faire par écrit. Les étudiants jouent deux fois, en inversant les rôles à chaque fois. Pour terminer, un groupe déjà constitué, suivi de deux personnes n'ayant pas préparé ensemble, jouent devant toute la classe.

• Activité 3, page 49

Suggestions

Les recommandations présentées dans le tableau « Comment faire » s'appliquent aussi bien à la rédaction d'une lettre qu'à celle d'un e-mail. Les étudiants suivront les étapes du tableau et reprendront les expressions proposées. Rappelez-leur combien il est important d'être précis.

Corrigé

Proposition :

De : mcheval@cerise.eur

À : Hôtel Tronchet

Objet : changement de réservation

Madame, Monsieur,

Au cours de notre entretien téléphonique du 25 février, je vous ai réservé une chambre standard au nom de Mme Mireille Cheval pour la nuit du 3 au 4 mars.

Or, la réunion à laquelle Mme Cheval devait assister a été reportée au lendemain.

En conséquence, je vous demande de bien vouloir lui réserver une chambre identique pour la nuit du 4 au 5 mars, au lieu de celle du 3 au 4 mars.

Je vous remercie de m'envoyer une confirmation.

Meilleures salutations.

Pour votre information

Dans les écrits professionnels, la précision se traduit souvent par l'indication de dates et de chiffres. *Exemple* : « Nous avons bien reçu ce jour votre facture **n° 564 du 3 mars**. » Dans l'e-mail de Mme Cheval, il faudra préciser la date de l'entretien téléphonique, le nom de la personne qui séjournera dans l'hôtel, la date des premières réservations et la nouvelle date de réservation.

Le mot « or » s'utilise souvent pour soutenir une démonstration en trois parties :

– 1. j'informe (dans le cas d'une lettre, en me référant à ce qui appelle cette lettre) ;

– 2. j'introduis une concession ou une restriction avec « or » ;

– 3. je fais un commentaire (*en effet...*) ou je tire une conséquence (*en conséquence...*).

3 Séjourner à l'hôtel (pages 50 et 51)

A. Arrivée

• Activités 1, 2, 3, page 50

Suggestions

Activité 1

Le dialogue est complet, même sans les nouvelles mentions (à ajouter). Vérifiez d'abord que tout le monde le comprend, à partir de la seule écoute : Mme Dulac avait-elle réservé ? Combien de temps restera-t-elle à l'hôtel ? Quelqu'un lui a-t-il laissé un message ? Quel est le numéro de sa chambre ? Quel étage ? Les étudiants font ensuite l'exercice demandé.

Activité 2

On ne peut placer les adjectifs et pronoms possessifs qu'à la condition d'identifier les acteurs de la communication. Faites faire l'exercice. Puis, dans chaque cas, demandez qui communique avec qui :

1. Le réceptionniste s'adresse à un client.

2. Le client pose la question au réceptionniste.

3. C'est un dialogue entre deux salariés de l'hôtel.

Activité 3

Deux étudiant(e)s jouent devant le groupe. Le dialogue entre Mme Dulac et le réceptionniste de l'hôtel Bovary est un canevas. Les acteurs ont intérêt à s'en inspirer, mais la situation est différente, et ils ne peuvent évidemment pas le reprendre tel quel. Comme toujours, il est important de respecter la confidentialité des consignes : la cliente ne doit pas prendre connaissance des consignes du réceptionniste, et vice versa.

Pendant le jeu de rôle, interrompez les acteurs pour corriger les fautes de langue, y compris les simples maladresses.

Après le jeu de rôle, la cliente dira ce qu'elle a pensé de l'accueil : Quelles sont ses impressions ? Est-elle satisfaite ? Le réceptionniste lui semble-t-il avoir fait preuve de professionnalisme ? A-t-il commis des erreurs ?

Le groupe donnera ensuite son avis. Quels conseils peut-on donner au réceptionniste pour qu'il devienne plus professionnel ?

On conclura en faisant le point sur les qualités d'un bon réceptionniste.

Il est possible de jouer une autre fois, bien que, les consignes étant alors connues de tous, l'enjeu soit moins intéressant.

Corrigé

Activité 1

– Bonjour, monsieur.

– Bonjour, madame. **Que puis-je faire pour vous ?**

[…]

– Je peux vous demander une pièce d'identité **pour remplir la fiche** ? Je vous la rends tout de suite.

– Voilà **mon passeport.**

– Merci.

– Quelqu'un a-t-il laissé un message pour moi ?

– Attendez… **je regarde**… euh… apparemment, je ne vois personne… non, **je regrette**, personne n'a laissé de message.

– Ah bon !… ça ne fait rien.

– Vous avez la chambre 403, au 4ᵉ étage. Voilà la clé… et voici votre passeport. Monsieur va vous conduire jusqu'à votre chambre. **On s'occupe de vos bagages.**

Notez bien qu'il est également possible, quoique moins opportun, de dire.

– « **Je regarde**. Ah oui, effectivement »

– « … et voici votre passeport. **On s'occupe de vos bagages.** Monsieur va vous conduire jusqu'à votre chambre. »

Activité 2

1. vos • 2. ma, votre • 3. la sienne, la mienne.

B. Appréciations

● Activités 1, 2, 3, page 51
Suggestions
Activité 1
On ne peut porter des appréciations nuancées qu'à la condition de connaître un minimum de vocabulaire. Dans le *Cahier des appréciations*, relevez le lexique, et particulièrement les adjectifs qui permettent de porter des appréciations sur un hôtel : *bruyant, copieux, épouvantable, chaleureux, etc.* Les contraires (*bruyant ≠ calme, copieux ≠ frugal, etc.*) sont-ils connus de tous ?

Activité 3
Pour introduire cette activité, faites un ou plusieurs tours de table en demandant à chaque étudiant d'imaginer une appréciation, positive ou négative, sur un hôtel. Par exemple : l'accueil est chaleureux, l'ascenseur ne fonctionne pas, les femmes de ménage ne font pas leur travail, le chauffage est en panne, il y a des cafards dans la chambre, etc. Pendant le tour de table, il n'est pas permis de répéter ce qui a déjà été dit.
Tout le monde a séjourné au moins une fois dans un hôtel et a quelque chose à en dire, en bien ou/et en mal. Certains peuvent raconter oralement leur expérience et chacun peut ensuite, comme il est demandé, faire un commentaire par écrit.

Corrigé
Activité 2
1. La plupart ● 2. Quelques-uns ● 3. Plusieurs ● 4. Aucun ● 5. Tous ● 6. Un seul.

4 ▶ Adresser une réclamation (pages 52 et 53)

A. Vérification
Suggestions
Assurez-vous d'abord que la situation est claire pour tous : Qui a séjourné à l'hôtel Bovary ? Quelle est la somme réclamée par l'hôtel ? Comment et quand faut-il payer ? Puis demandez à vos étudiants d'effectuer, seul ou à deux, la tâche demandée.
M. Grillet doit-il payer la somme réclamée ? Si vos étudiants – et vous-même – êtes attirés par les chiffres, vous pouvez calculer la somme à payer.

Corrigé
L'hôtel Bovary réclame 456,50 euros, à régler par chèque et au comptant (dès réception). Cette somme est trop élevée pour deux raisons : Claire Dulac a passé une seule nuit à l'hôtel Bovary (du 6 au 7 mars) et elle a déjà payé le mini-bar (comme l'indique le reçu).
Le prix à payer devrait être de 269,50 euros.
C'est ce qui ressort du décompte suivant :
– Prix HT (Hors Taxe) : 415 – (160 + 10) = 245
– TVA : 245 x 10 % = 24,5
– Prix TTC (Toutes taxes comprises) : 245 + 24,5 = 269,5

Pour votre information

La TVA (taxe à la valeur ajoutée) est un impôt qui a été inventé en France (c'est du moins ce que prétend l'administration fiscale française). De nombreux pays l'ont adoptée.

C'est un impôt sur la dépense, indirect (elle n'est pas payée directement au fisc) et national (l'État en est le bénéficiaire). À chaque fois qu'il réalise une dépense, le consommateur paie une taxe au commerçant, à charge pour ce dernier de la reverser à l'État.

Les taux de TVA varient d'un pays à l'autre, y compris à l'intérieur de l'Union européenne. C'est – de loin – l'impôt qui rapporte le plus à l'État français puisqu'il représente à lui seul plus de 40 % des recettes fiscales.

B. Lettre de réclamation
• Activités 1, 2, page 53

Suggestions
Activité 1
Le premier tableau contient les mots de liaison les plus fréquemment utilisés dans la correspondance commerciale. C'est par là qu'il faut commencer.

Demandez à vos étudiants de relever dans la liste les deux mots les plus utilisés à l'oral (*donc, aussi*). Connaissent-ils les autres ? Une fois le tableau commenté, ils feront l'exercice **a**. Corrigez-le, puis passez à l'exercice **b**, et complétez cette étude par les exercices 1 et 2, page 34 du CAHIER D'EXERCICES.

Corrigé

Activité 1
Exercice a. 1. toutefois/cependant ; 2. En effet ; 3. De plus/en outre ; 4. donc, en conséquence, par conséquent.

Exercice b. *Étape 1* : « Nous avons bien reçu… le 6 mars. ». *Étape 2* : les deuxième et troisième paragraphes (« Cette somme contient… ci-joint. ». *Étape 3* : le quatrième paragraphe (« Nous vous demandons … à réception. »). *Étape 4* : « Nous vous en remercions par avance. ». *Étape 5* : « (Nous) vous prions de recevoir, Madame, Monsieur, nos salutations distinguées. »

Activité 2
Proposition :

> Madame, Monsieur,
>
> Nous venons de recevoir votre note n° 106-A du 16 mars concernant le séjour de Mme Claire Dulac dans votre hôtel dans la nuit du 6 au 7 mars.
>
> Toutefois, cette note contient un oubli. En effet, à la suite de l'incendie qui s'est déclaré cette même nuit dans votre hôtel, la directrice de votre établissement, Mme Pompière, s'était engagée à accorder une réduction de 30 % à tous les clients.
>
> Je vous demande donc de m'envoyer une nouvelle note qui tient compte de cette réduction et que nous vous réglerons à réception.
>
> Nous vous en remercions par avance et vous prions de recevoir, Madame, Monsieur, nos salutations les meilleures.
>
> Henry Grillet

À l'écrit, les mots « aussi », « également », « donc » se placent de préférence dans la phrase et non pas en tête de phrase. Par exemple, il faut écrire « Je vous demande *donc* de me régler cette facture » au lieu de « *Donc*, je vous demande de régler la facture », qui est le plus fréquent à l'oral.

Mais « en revanche », « comme », « étant donné que », « c'est pourquoi », « or » se placent en tête de phrase.

Dans les écrits professionnels, il faut faire des phrases courtes. « En effet » veut dire « parce que » et permet de couper une phrase en plusieurs phrases. Par exemple, plutôt que d'écrire : « Je reste à la maison parce qu'il pleut des cordes. », on écrira : « Je reste à la maison. *En effet*, il pleut des cordes. ». À ne pas confondre avec « en fait », qui signifie « en réalité » : « Il dit qu'il aime rester à la maison. En fait, il est toujours sorti. ».

À la croisée des cultures (page 56)

Suggestions

À partir des informations contenues dans le document, on peut, par déduction, faire des hypothèses sur le comportement de la famille Diallo et sur la réaction des Français. Il faut supposer, bien sûr, que les Diallo comme leurs voisins français sont représentatifs de leur groupe, quitte à forcer un peu sur les stéréotypes.

Vos étudiants ont certainement déjà eu des problèmes de voisinage. Pour prolonger l'activité, ils peuvent raconter leurs expériences, puis surtout expliquer les raisons des conflits qu'ils ont vécus. Comment faire pour s'entendre, quand on habite sous un même toit ?

Corrigé

Proposition :

Quels peuvent être les motifs de mécontentement des Français ?

– Les Diallo font sécher leur linge à la fenêtre. Pour les Français, ce n'est pas esthétique. Le linge fait partie de la sphère intime. Mais pour les Diallo, *« il est difficile de comprendre pourquoi on n'a pas le droit de faire sécher le linge dehors. »*

– Les Diallo laissent leurs enfants jouer dans la cour de l'immeuble. Ces enfants font du bruit, abîment les parterres de fleurs ornant la minuscule cour, etc. On remarque d'autant plus les enfants Diallo que ce sont (peut-être) les seuls enfants de l'immeuble. Mais, pour les Diallo, où peuvent bien jouer les enfants, si ce n'est dans la cour ?

– Autre motif de mécontentement : les discussions, la musique, la télévision, les allées et venues incessantes. Les Diallo habitent en grand nombre dans leur appartement et ont toujours de nombreux invités : *« Les grands-parents vivent sous le même toit que leurs petits-enfants. »*, *« Ils sont toujours prêts à accueillir un grand nombre de personnes. »*.

– Les Diallo cuisinent des plats dégageant de fortes odeurs ou, du moins, des odeurs inhabituelles, et donc gênantes pour les Français : *« On les remarque ou on ne les remarque pas, selon qu'ils font ou non partie de notre environnement habituel. »*.

5 restauration

1 S'adapter aux traditions (pages 58 et 59)

A. Au restaurant

• **Activités 1, 2, page 58**

Suggestions

Même si vos étudiants ne sont jamais entrés dans un restaurant français, ils se font certainement une idée de la manière dont se déroule un repas en France et peuvent donc réagir aux affirmations de l'exercice 1 avant de lire le document.

Demandez-leur de souligner dans le texte les articles partitifs et les articles définis exprimant une valeur générale.

Corrigé

Vrai : 1, 2. Faux : 2, 4, 5.

B. À domicile

• **Activité 1, page 59**

Suggestions

Certaines publications fourmillent de conseils donnés au voyageur. On y explique en détail comment il convient de se comporter à l'étranger, dans telle ou telle situation. Ces conseils s'appuient généralement sur une idée stéréotypée des situations, du pays et des habitants.

En fait, il suffit généralement de respecter quelques règles de bon sens pour se faire accepter (et apprécier), et il ne sert à grand-chose de vouloir mimer les faits et gestes de son hôte. Il ne faudrait donc pas tirer de l'histoire de Mlle Li ou de semblables histoires une liste de recettes. Si vous commettez quelques maladresses à l'étranger, votre hôte comprendra que vous venez d'une autre culture et vous pardonnera volontiers.

Corrigé

Proposition :

Exercice a. Les maladresses commises par Mlle Li sont les suivantes :

– Elle n'apporte ni fleur ni bouteille de vin ni pâtisserie.

– Elle arrive avec une heure d'avance. Il lui faudrait arriver avec un léger retard de façon à laisser à la maîtresse de maison le temps de se préparer. Autrement dit, si les Dupont vous demande d'arriver à 19 heures, comprenez 19 h 15, voire 19 h 30.

– Elle veut rester dans la cuisine pour aider à la préparation du repas. Or l'invité(e) est prié(e) de ne pas entrer dans la cuisine. En tout cas, il ne doit pas s'y attarder. Les Dupont se chargent seuls de la préparation du repas.

– Elle veut visiter la maison. Mais à l'exception du salon et de la salle à manger, les autres pièces font partie de la « sphère privée » et les invités n'y ont pas accès. Mlle Li doit rester dans le salon et la salle à manger.

– Elle s'en va aussitôt après le dîner. Mais, chez les Dupont, on vient pour manger, certes, mais aussi et surtout pour bavarder pendant et après le repas. Une fois son repas terminé, Mlle Li aurait dû rester encore un moment.

Exercice b. On peut supposer que Mlle Li se conduit chez les Dupont comme elle a l'habitude de le faire en Chine. Son comportement en France nous renseigne, a *contrario*, sur les règles de bienséance en vigueur en Chine. On peut en déduire que l'invité chinois, en Chine, arrive chez son hôte avec une heure d'avance, qu'il aide à la préparation du repas, qu'il visite la maison de son hôte et qu'une fois le repas terminé, il s'en va sans tarder.

• L'avis du consultant (page 59)

« Les traditions, ça ne se discute pas. »

Suggestions

La question est de savoir s'il faut se plier à toutes les traditions en toutes circonstances. Dans quels cas peut-on ou doit-on suivre ou ne pas suivre la tradition ?

Faut-il mimer les faits et gestes de ses hôtes, manger ce qu'ils mangent, etc. ? La question peut être élargie à d'autres domaines que la restauration : famille, religion, traditions des étudiants, etc. Y a-t-il de mauvaises traditions, des traditions supérieures aux autres, des traditions dangereuses, discutables (*ex.* : bizutage chez les étudiants) ? Les traditions ne freinent-elles pas le progrès ?

Les étudiants citeront des exemples de traditions qu'ils respectent et en discuteront l'origine ou/et le bien-fondé.

Pour votre information

« **Tradition**. n.f. Manière d'agir ou de penser transmise de génération en génération. » (*Le petit Larousse*)

« L'Europe, pays de vieilles traditions et malade d'histoire, ne souffre-t-elle pas de cet amour des choses anciennes qui paralyse l'activité des vivants ? » (Daniel-Rops)

2 Passer commande (pages 60 et 61)

A. Faire son choix

Suggestion

On trouve les plats proposés par le restaurant La Casserole dans la plupart des restaurants français de type brasserie (grands cafés restaurants à prix modérés). Les étudiants commenceront par examiner le menu de près, comme ils le feraient s'ils étaient assis à une table de La Casserole. Y a-t-il des plats qu'ils ne connaissent pas ? Ceux qui savent (ou à défaut, le professeur) expliqueront à ceux qui ne savent pas. Après ces explications préliminaires, usuelles dans un restaurant, ils pourront composer les menus de Manuel et Erika.

Corrigé

Proposition :

• *Menu pour Manuel*

– Hors-d'œuvre : assiette anglaise ou jambon d'Auvergne ou saucisson sec.

– Plats garnis : coq au vin (c'est le plat qui sort le plus de l'ordinaire, et c'est aussi le plus cher). À l'exception des haricots verts (Manuel n'aime pas les légumes verts), toutes les garnitures conviennent.
– Fromages : roquefort (c'est le plus fort).
– Dessert : il en faut un absolument, plusieurs choix possibles.

• *Menu pour Erika*
– Hors-d'œuvre : salade niçoise ou salade de tomates ou assiette de crudités ou potage aux légumes.
– Plats garnis : omelette aux fines herbes ou sole meunière avec haricots verts (le tout sans beurre).
– Pas de fromage (elle n'aime pas les produits laitiers).
– Dessert : salade de fruits frais (le dessert le plus léger).

Pour votre information

Salade niçoise : pommes de terre cuites à l'eau et coupées en tranches, tomates crues, haricots verts cuits à l'eau, un peu d'oignons, quelques olives noires, des miettes de thon. (Voir lexique, page 152 du livre de l'élève)

Assiette anglaise : assortiment de viandes froides, jambon.

Frisée aux lardons : salade aux feuilles dentelées accompagnée de petits morceaux de lard cuits.

Escalope : tranche mince de viande. Le veau doit être cuit à point.

Fricassée : ragoût fait de morceaux de poulet ou de lapin cuits à la casserole.

Pavé (de bœuf) : épais morceau de filet de bœuf.

Sole : poisson plat, ovale, qui vit couché sur les fonds sablonneux.

Sole meunière : La recette : préparer les poissons : vider, écailler. Les saler, les rouler dans la farine. Faire chauffer du beurre dans une poêle. Y mettre les poissons et faire dorer à feu doux. Saupoudrer avec du persil haché. Beurrer.

Les fromages : d'après sa texture, la pâte des fromages peut être fraîche, molle, semi-ferme, ferme, dure. Les fromages prennent souvent le nom de la région où ils sont fabriqués : Camembert (Commune de Normandie), Gruyère (une ville suisse), Brie (région à l'est de Paris), Cantal (département français), etc.

B. Passer à l'action
• Activités 1, 2, page 61
Suggestions
Activité 2
• Avant le jeu : Les acteurs ont cinq minutes pour se préparer. Demandez-leur d'utiliser des expressions du dialogue. Attirez l'attention du serveur sur des expressions telles que « Vous avez fait votre choix ? », « Comment le voulez-vous ? », « Et comme boisson ? », etc.
• Pendant le jeu : Les clients sont assis, le serveur reste debout.
• Après le jeu : Les clients font un premier commentaire : Sont-ils satisfaits du service ? Ont-ils des reproches et/ou des compliments à faire au serveur ? C'est ensuite au serveur de s'exprimer : Que pense-t-il de sa prestation ? A-t-il réussi à prendre la commande correctement ? Pour terminer, le reste du groupe donne son avis sur la prestation du serveur. A-t-il commis des erreurs ? A-t-il proposé le plat du jour ? Avant de prendre la commande, a-t-il annoncé aux clients qu'il ne restait plus certains plats ?

Que doit-il faire pour améliorer son service ? Le groupe conclut en récapitulant les qualités que doit réunir un bon serveur.

Corrigé
Activité 1
Exercice a. 1 frisée aux lardons, 1 salade de tomates, 1 pavé au poivre avec frites, 1 verre de vin de Bordeaux, 1 carafe d'eau.

Exercice c. Hors-d'œuvre : « En entrée, je vais prendre… ». Plat principal : « Ensuite, je prendrai… Dans ce cas, je prendrai… ». Garniture : « Avec des (frites), s'il vous plaît. ». Boisson : « Je vais m'offrir… »

3 Travailler dans la restauration (pages 62 et 63)

A. Témoignages
• Activités 1 et 2, page 62
Suggestions

Avant de lire les témoignages, les étudiants répondent par groupes de deux aux questions **a**, **b**, **c**. Les réponses sont mises en commun et commentées avant de passer à l'activité 2.

Corrigé

Proposition :

Exercice a. Les qualités d'un bon cuisinier.
D'après les deux témoignages, un cuisinier doit être gourmand, adroit, bien organisé, rapide, en bonne santé, créatif.

Exercice b. Les conditions de travail sont-elles difficiles ? Pourquoi ?
À lire le témoignage d'Anne, on comprend que les conditions de travail d'un cuisinier sont difficiles. Pour les raisons suivantes :
– il doit travailler debout dans la chaleur et le bruit ;
– les horaires sont difficiles : on commence tôt, on termine tard, et on reste sans travail pendant une partie de la journée ;
– les demandes des clients et du patron sont « stressantes » ;
– les salaires sont bas.

Exercice c. Que pourrai-je faire avec un diplôme de cuisinier ?
À en croire Bernard, un diplôme de cuisinier ouvrirait de nombreuses possibilités : voyager en travaillant dans des clubs de vacances, sur des bateaux de croisière, dans les trains, enseigner dans une école de cuisine, travailler comme traiteur (préparer des repas, des plats à emporter et à consommer chez soi), devenir chef d'entreprise (en créant son restaurant), écrire des livres de cuisine, créer un site Internet pour les gourmets. Ajoutons qu'un cuisinier peut aussi travailler dans la restauration collective : restaurants d'entreprise, cantines scolaires, hôpitaux, etc.

Pour votre information

° Dans les grands restaurants, les emplois sont très hiérarchisés :
° – *Le stagiaire ou apprenti* épluche, taille, nettoie les aliments. Il confectionne les entrées simples et s'occupe de l'entretien des locaux.
° – *Le commis de cuisine* participe à la confection des plats ou prépare lui-même des plats simples sous la surveillance d'un supérieur.
° – *Le chef de partie* est responsable de la préparation des plats relevant de sa partie (par exemple la partie poissons, garde-manger, pâtisserie). Il organise et contrôle le travail des commis, il assure leur formation.
° – *Le chef de cuisine* a la responsabilité de la direction du personnel. Il conçoit les plats et élabore des recettes, crée les cartes de menus, contrôle la qualité des plats, gère la marchandise.

B. Recettes

● **Activité 1, page 63**

Corrigé

1. de, 2. un ● 3. de ● 4. d' ● 5. de ● 6. une ● 7. de ● 8. de ● 9. le ● 10. de ● 11. des ● 12. une ● 13. de ● 14. la ● 15. du ● 16. une.

● **Activité 2, page 63**
Suggestions
Exercice a. Avant d'écouter, les étudiants prendront connaissance, dans le tableau sur les quantités, des ingrédients dont on a besoin pour faire les crêpes. Le document audio est difficile, et il peut être utile d'examiner, toujours avant l'écoute, les verbes proposés en c.

Exercice b. Pour compléter l'exercice, on peut se demander à quoi servent les autres ustensiles. *Réponse* : une casserole sert à faire cuire ; un bol : à contenir certaines boissons (*ex.* : un bol de lait) ; une fourchette : à piquer les aliments ; un couteau : à couper ; une passoire : à égoutter les aliments ; un ouvre-boîte : à ouvrir les boîtes de conserve ; un tire-bouchon : à retirer le bouchon d'une bouteille ; un moule : à mouler certains mets (*ex.* : moule à gaufre, moule à charlotte) ; un moulin à café : à moudre les grains de café.

Exercice c. Il peut être fait oralement ou/et par écrit.

Corrigé

Proposition :
Exercice b. Une poêle : pour faire cuire les crêpes. Une assiette : pour y mettre les crêpes (et au lieu du couvercle, pour couvrir la pâte, le temps qu'elle repose). Une spatule : pour retourner plus facilement la crêpe dans la poêle. Un saladier : pour faire la pâte. Une louche : pour prendre la pâte et la verser dans la poêle. Une cuillère : pour verser une cuillerée de rhum dans la pâte. Un fouet ou un batteur : pour mélanger les ingrédients, pour éviter les grumeaux. Une balance : pour peser les ingrédients.

Exercice c.

Crêpes au sucre

Préparation : 10 mn. Cuisson : 3 mn par crêpe.

250 g de farine, 1/2 litre de lait, 3 œufs, 1 cuillerée d'huile, 1 pincée de sel.

Mettre dans un grand saladier la farine, le lait et le sel. Ajouter les œufs un à un. Parfumer avec du rhum. Mélanger le tout. Laisser reposer une heure.

Verser dans la poêle une petite cuillerée d'huile. Faire chauffer. Étendre un peu de pâte dans la poêle. Retourner dès que la crêpe est dorée. Cuire le deuxième côté. Saupoudrer de sucre. Servir brûlant.

Pour votre information

Les ustensiles de cuisine ne servent pas seulement dans la cuisine. On les trouve aussi dans de nombreuses expressions. Par exemple :

Ne pas être dans son assiette : ne pas être en forme. *Ex.* : Il n'est pas dans son assiette en ce moment, il a des problèmes de travail.

En avoir raz le bol de quelque chose : ne plus supporter quelque chose. *Ex.* : Elle en a raz le bol de son travail.

Avoir le couteau sous la gorge : être obligé de faire quelque chose contre sa volonté. *Ex.* : Je n'ai pas le choix, il me met le couteau sous la gorge.

Sortir du même moule : être formé de la même façon. *Ex.* : Ils ont tous étudié dans la même école, ils sortent du même moule.

Avoir un joli coup de fourchette : être un gros mangeur.

Avoir la mémoire comme une passoire : ne rien retenir. *Ex.* : Il oublie tout, sa mémoire est une véritable passoire.

Chanter comme une casserole : chanter très mal. *Ex.* : C'est épouvantable, il chante comme une casserole.

Faire pencher la balance (*en faveur de qqn, qqch.*) : avantager (qqn), faire prévaloir (qqch.)

• **Activité 3, page 63**

Pour votre information

Il existe de nombreux sites Internet proposant des recettes de cuisine. En voici deux, particulièrement remarquables :

http://www.marmiton.org

Vous y trouverez plusieurs milliers de recettes de cuisine, toutes envoyées par des internautes. Le tout est expliqué avec simplicité et humour. Très utile dans une cuisine… et dans un cours de français de la restauration.

http://saveurs.sympatico.ca

C'est comme le monde dans votre assiette. Vous y découvrirez les traditions et spécialités culinaires de tous les pays (ou presque). Et si vous n'êtes pas encore familier avec le français de la restauration, vous consulterez le petit lexique de la gastronomie (terminologie, ustensiles, produits, couverts et mesures).

4 Faire des critiques (pages 64 et 65)

A. Réclamation

• Activités 1, 2, 3, 4, 5, page 64

Suggestions

Activité 2

Les étudiants imaginent et écrivent chacun un motif de réclamation. Puis vous faites un tour de table.

Activité 3

Après l'exercice, faites préparer, puis jouer la scène par groupes de deux.

Activité 5

Les étudiants préparent et jouent les différentes scènes à deux. Puis certains jouent devant la classe et le groupe porte des appréciations sur la prestation du serveur.

Corrigé

Activité 1

(1) rassis. (a) en • (2) froide. • (3) chaude. (b) la • (4) saignant. (c) le • (5) léger. (d) en • (6) bouchonné. (e) en • (7) sale. (f) en • (8) lent.

Activité 2

Proposition :

L'omelette est brûlée. Il n'y pas d'espace non fumeurs. Le poisson n'est pas frais. La soupe est trop salée. Le serveur s'est trompé de plat. La pâte de la pizza n'est pas assez cuite. Les frites sont froides et molles. Etc.

Activité 3

Le client fait trois réclamations :

– Le steak est saignant alors qu'il voulait un steak bien cuit. Le serveur va changer le steak.

– Il y a du rouge à lèvres sur le verre. Le serveur va apporter un autre verre.

– Le client sent un courant d'air dans le dos. Le serveur va essayer de lui trouver une autre place.

« *À part ça*, dit le client, *tout va bien.* »

Activité 4

a-4 • b-1 • c-5 • d-2 • e-3.

B. Appréciation

• Activités 1, 2, page 65

Suggestions

Activité 2

Les étudiants racontent l'une de leurs expériences en un texte de 150 mots environ.

Corrigé

Activité 1

Exercice a. Motifs de réclamation : C'est bruyant, on ne peut pas discuter tranquillement. Les nappes sont en papier. Les chaises et les tables sont « simples et tristes à mourir. » Les serveurs sont excités, voire impolis.

Exercice b. Raisons du succès : Le cadre est agréable, bien décoré. Le poisson est frais et de bonne qualité. Le service est rapide, les prix raisonnables. Les serveurs sont musclés (succès garanti auprès des femmes).

Activité 2

Suggestions

Le critique gastronomique ne se contente pas de porter une appréciation sur ce qu'il trouve dans son assiette. Les locaux et les conditions d'accueil font également partie du service de restauration. Les étudiants devront y penser en rédigeant leur article.

À la croisée des cultures (page 68)

La restauration rapide, vous connaissez ?

Suggestions

Les étudiants répondent aux questions **a.** et **b.** par groupes de trois ou quatre personnes. Puis on met en commun.

Pour la question **b.**, ils doivent rechercher des arguments en faveur et contre la thèse. Même les plus réticents auront déjà pris un repas dans un Mac Do et ne peuvent donc pas dire qu'ils sont absolument opposés à ce type de restauration.

Corrigé

Proposition :

a. Points forts et points faibles de la restauration rapide :

– Atouts : rapidité, rapport qualité/prix intéressant, pas de mauvaise surprise (qualité homogène quel que soit le restaurant).

– Faiblesses : pas d'ambiance, pas de gastronomie, pas d'originalité, peu de variété dans les plats, pas de bonne surprise, peut-être pas le meilleur choix pour la santé. La restauration rapide s'adresse principalement aux jeunes.

b. *« Les plats régionaux vont peu à peu disparaître avec la restauration rapide et tout le monde mangera bientôt la même chose. »*

On peut défendre cette opinion en expliquant que des courants mondialistes traversent la cuisine comme ils traversent les autres secteurs de la société. La restauration rapide correspond à un certain mode de vie (travailler vite, voyager vite, manger vite, etc.), qui se propage partout. Aux États-Unis, deux repas sur trois sont pris dans un « fast food ». Les enfants des Mac Do continueront à « manger rapide » toute leur vie.

On peut prétendre, au contraire, qu'il n'y a pas de mondialisation du goût et que des modes de vie ne parviendront sans doute pas à changer des habitudes culinaires fortement ancrées dans les cultures. Quant à la vague des Mac Do, elle reste tout de même assez marginale : dans une ville aussi cosmopolite que Paris, les « fast food » ne représentent pas même 5 % de la restauration et répondent d'abord à des contraintes d'argent. Nous vivons dans une société multiculturelle, mais la cuisine ne se mondialise pas, si on entend par mondialisation l'imposition universelle d'un modèle unique. Ce qui se passe, c'est que nous pouvons maintenant, en restant dans la même ville, goûter des plats d'origines différentes. Aux États-Unis, c'est la pizza qui est le plat le plus vendu et, en France, le couscous.

Pour votre information

« *Fast food* » ou « *restauration rapide* » ?

Au Québec et en France, des commissions d'experts ont pour mission de franciser les mots étrangers – comprenez, anglais – qui pénètrent en territoire francophone. Une fois francisés, ces mots sont soumis au verdict du peuple. Dans certains cas, le peuple accepte le mot qu'on lui propose. Dans d'autres cas, il n'en veut pas et continue à utiliser le mot anglais.

Par exemple, la francisation a réussi pour le « computer », devenu « ordinateur ». En revanche, le mot « mercatique », pour « marketing », n'a séduit personne, pas plus que le « publipostage » (publicité par la poste) n'a réussi à remplacer le « mailing ». La pratique utilise parfois les deux mots, anglais et français. Par exemple, on dit aussi bien « packaging » que « emballage ». Il y a même un troisième mot : « conditionnement ».

Il arrive aussi qu'on utilise les deux termes, anglais et français, mais en les employant dans des situations différentes. Par exemple, on dit « fax » (« T'as envoyé le fax ? »), mais on écrit « télécopie ». De la même façon, on dit « fast food » et on écrit plutôt « restauration rapide ».

Français.com retient les mots consacrés par l'usage : e-mail, marketing, etc.

Jim's kitchen

Suggestions

Les étudiants travaillent dans les groupes déjà constitués. Mettez en commun une fois qu'ils ont répondu à toutes les questions. La tâche consiste à faire des hypothèses, car il n'y a pas de réponse unique. Le cas échéant, demandez-leur d'analyser le problème et de proposer des solutions dans un (petit) rapport (écrit).

Corrigé

Proposition :

a. Si les Français veulent de la purée, on peut supposer que c'est tout simplement parce que la purée se vend bien. Ils ont adapté le menu aux habitudes locales de façon à toucher une clientèle plus large.

b. Du côté des Américains, ces adaptations locales sont inacceptables car *Jim's kitchen* doit offrir partout dans le monde un produit standardisé et homogène. Cette standardisation est un élément important de la qualité du produit, elle permet aux clients de trouver partout les mêmes plats, et les Français doivent respecter les critères de qualité du produit.

c. Les thèses des deux parties sont défendables :
D'un côté, le franchiseur a raison de contrôler la qualité des produits. Il prendrait des risques en laissant trop de libertés aux franchisés. D'ailleurs, un contrôle sévère a certainement été prévu au contrat.

D'un autre côté, on ne peut pas nier qu'il existe des différences culturelles et des plats régionaux. Accepter ces différences pourrait permettre à *Jim's kitchen* de trouver de nouveaux clients. En se contentant d'apporter des modifications secondaires, comme la purée, les franchisés ne dénaturent pas le produit.

d. Comment se mettre d'accord? Le franchiseur pourrait autoriser les franchisés à proposer dans le menu un nombre limité de plats régionaux. Dans beaucoup de pays, d'ailleurs, la restauration rapide s'adapte de cette façon aux habitudes locales.

6 entreprises

1 Découvrir l'entreprise (pages 70 et 71)

A. Briquets et stylos

• Activités 1, 2, page 70

Suggestions

Activité 1

Cet exercice requiert un peu de logique.

Il faut déduire, par exemple :

– que le stylo Bic a nécessairement été lancé après la création de l'entreprise,

– que le bénéfice est nécessairement moins important que le chiffre d'affaires,

– qu'un paquet de 10 rasoirs coûte plus cher qu'un stylo.

Assurez-vous d'abord que certains termes techniques comme « chiffre d'affaires » et « bénéfice » sont bien compris de tous. L'exercice peut ensuite être fait, individuellement ou par groupes de deux.

Activité 2

Le site Internet des entreprises apporte généralement une mine d'informations. Le plus souvent, vous trouverez ces sites au « www.nomdelenteprise.fr ». Vous pouvez également consulter un annuaire d'entreprise (www.entreprises.fr, www.kompass.com, etc.). Au moyen d'une recherche multicritères (nom, secteur, etc.), ces annuaires permettent de consulter des fiches sur des milliers d'entreprises et de se rendre d'un clic sur leur site.

Corrigé

Activité 1

(1) 1945 • (2) 1950 • (3) 9 000 • (4) 1 300 • (5) 1 300 000 • (6) 21 000 000 • (7) 45 % • (8) 0,40 • (9) 1,43.

Activité 2

La fiche d'identité contient les principaux éléments d'identification d'une entreprise :

> **Nom de l'entreprise :** Bic.
>
> **Activité :** produit et vend des articles de papeterie, des briquets, des rasoirs.
>
> **Effectifs :** 9 000 (dont 1 300 hors de France).
>
> **Siège social :** près de Paris.
>
> **Lieux d'implantation :** dans le monde (1 300 salariés dans le monde).
>
> **Étendue du marché :** principalement l'Amérique du Nord et l'Europe.
>
> **Autres :** vente d'une grande quantité de petits articles jetables et bon marché.

Pour votre information

Comment caractériser l'entreprise.

L'exercice 5, page 45 du CAHIER D'EXERCICES, propose plusieurs définitions de l'entreprise. Au sens économique, on dit qu'une entreprise produit et vend des biens et/ou des services dans un but lucratif.

L'entreprise englobe des entités très distinctes. Le petit épicier du coin de la rue autant qu'un groupe multinational sont des entreprises. Mais l'un et l'autre présentent évidemment de nombreuses différences, à commencer par la taille.

Chiffre d'affaires, bénéfice, effectifs.

Pour différencier les entreprises, et pour mieux les caractériser, le meilleur moyen est encore de citer quelques chiffres :

– *Le chiffre d'affaires* : il correspond au montant total des ventes.

– *Le bénéfice* : c'est ce qui reste quand on a payé les charges (salaires, achats, taxes, loyers, etc.). Une entreprise peut ainsi réaliser un chiffre d'affaires important (parce qu'elle a beaucoup vendu) sans réaliser de bénéfice (parce que les charges sont supérieures au chiffre d'affaires).

– *Les effectifs* : Ce critère a le mérite de la simplicité. On fait la distinction suivante :

   – *de 0 à 9 salariés* : très petite entreprise
   – *de 10 à 49 salariés* : petite entreprise
   – *de 50 à 499 salariés* : moyenne entreprise
   – *de 500 et au-delà* : grande entreprise.

Cette distinction ne présente aucune rigueur scientifique.

Bien entendu, étant donné l'importance de son chiffre d'affaires et de ses effectifs, Bic fait partie des grandes, voire des très grandes entreprises (mais il y a encore beaucoup plus grand).

Activité de l'entreprise.

L'activité de l'entreprise est un autre critère de distinction. On distingue ainsi :

– *les entreprises commerciales* : elles se contentent d'acheter pour revendre, sans transformer, comme Carrefour ou le petit épicier du coin ;

– *les entreprises industrielles* : Bic en est une, comme Toyota ou IBM ;

– *les entreprises artisanales* : votre plombier ;

– *les entreprises de services* qui opèrent dans divers secteurs : transport, assurance, finance, hôtellerie, restauration, etc.

Lieu d'implantation, étendue du marché.

Il faut bien distinguer le(s) lieu(x) d'implantation de l'étendue du marché. Une entreprise peut très bien être implantée à un seul endroit et vendre dans le monde entier.

Qui dit « social » dit « de la société ».

Le siège social est le domicile de la société. Traduisez « social » par « de la société ». On parle de raison (nom) sociale, de capital social, d'objet social, etc. Le montant du capital social, qui n'est pas mentionné dans la fiche d'identité, est souvent indiqué dans les documents professionnels (lettres, par exemple). Il correspond à ce que les associés ont apporté à la société, principalement au moment de sa constitution. L'objet social correspond à l'activité de la société.

B. Jeux et vidéo

• **Activités 1, 2, page 71**

Suggestions

Activité 2

Les étudiants peuvent présenter une entreprise oralement et/ou rédiger un texte de 80 à 170 mots, sur le modèle des textes présentant Vivax (80 mots) et Bic (170 mots). Pour les entreprises d'une certaine importance, ils trouveront des informations sur Internet.

Corrigé

Activité 1

> **Nom :** Vivax.
>
> **Activité :** conception et développement de jeux vidéo.
>
> **Effectifs :** 250 personnes.
>
> **Siège social :** Nantes (France).
>
> **Lieux d'implantation :** bureaux au Japon, aux États-Unis, en Chine, au Royaume-Uni.
>
> **Étendue du marché :** la « génération numérique » du monde entier.
>
> **Autres :** cotée en bourse, beaucoup d'ambitions.

Pour votre information

Vivax est une entreprise fictive, pareille aux dizaines d'entreprises « authentiques » de ce secteur.

En s'introduisant en bourse, une entreprise fait appel public à l'épargne et finance ainsi ses investissements. Autrement dit, le public, vous, moi, lui apportons de l'argent pour lui permettre de se développer. La propriété du capital est alors partagé entre des milliers de personnes, les actionnaires.

• Activité 3, page 71

Suggestions

L'activité permet d'introduire le lexique sur la variation. On trouvera des expressions utiles :

– dans le texte : « *passer de... à...* », « *pour atteindre un pic de* », « *à la mi-mars* », « *à la fin du mois* », « *début juin* », « *il s'élevait à* », etc.,

– dans le tableau « Comment dire »,

– et dans les exercices page 47 du CAHIER D'EXERCICES.

Corrigé

Exercice a. (1) constamment • (2) brusquement • (3) seulement • (4) complètement • (5) légèrement • (6) progressivement.

Exercice b. Le graphique :

Cours de l'action Vivax

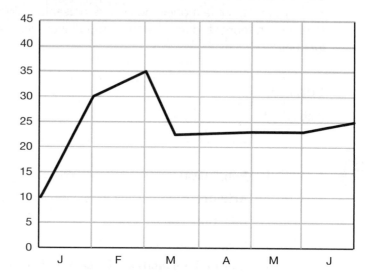

Pour votre information

La bourse est un marché (lieu d'échange) où sont négociées (achetées et vendues) des actions et des obligations.

L'action est un titre de propriété. Son détenteur, l'actionnaire, est propriétaire d'une partie de l'entreprise, ou plus précisément, il est un copropriétaire, avec les autres actionnaires. Le cours (le prix) de l'action varie selon la valeur à laquelle est estimée l'entreprise. Il peut varier considérablement d'un mois à l'autre, d'un jour à l'autre, d'une minute à l'autre.

L'obligation est un titre de créance. Elle représente une reconnaissance de dette de la part de la société. Son détenteur, le créancier obligataire, a prêté de l'argent à la société.

• Activité 4, page 71

Suggestions

Rappelons que les consignes doivent rester confidentielles : B ne doit pas voir le graphique.

Pour la correction, un étudiant décrira l'évolution, un autre dessinera le graphique au tableau en suivant les instructions. Celui qui décrit doit utiliser un vocabulaire précis, varié. Pour cela, il doit puiser des expressions dans le texte de l'exercice **3a.** : *il est passé de... à..., il a chuté, il s'élevait à...*, etc. Si nécessaire, interrompez-le pour corriger ou parfaire l'expression.

Pour conclure, tout le monde peut rédiger un texte de 100 mots environ décrivant l'évolution du cours Vivax.

Corrigé

Proposition :

Le 1ᵉʳ juillet, le cours de l'action Vivax était de 25 euros. Il a fortement reculé jusqu'à la mi-août, date à laquelle il s'élevait à seulement 5 euros. Il a ensuite augmenté et à la fin du mois d'août, le cours est passé à 9 euros. Il est resté tout à fait stable jusqu'à la mi-octobre. Il a ensuite légèrement augmenté. Début novembre, il était de 11 euros. Il a brusquement augmenté pour atteindre un pic de 30 euros à la mi-novembre. Il a ensuite chuté, tout aussi brusquement, pour revenir à 11 euros fin novembre. En décembre, il a fortement progressé et à la fin de l'année, il s'échangeait à 25 euros.

2 Comparer des performances (pages 72 et 73)

A. Concurrence interne

Corrigé

Activité 1. (1) VTT • (2) Enfant • (3) Course • (4) Ville.

Activité 2. (1) Patricia • (2) Michel • (3) Paul • (4) François • (5) Manuel • (6) Sylvie.

Pour votre information

Il existe différents types de comparaison.

La décomposition permet surtout de montrer la taille de chaque fraction d'un total. *Ex.* : « Le VTT représente la majeure partie de notre chiffre d'affaires. » Un message contenant des mots comme *fraction, pourcentage, représente x %*, exprime presque toujours une décomposition. Le graphique circulaire, communément appelé « camembert », traduit bien ce type de comparaison. *Ex.* : le graphique « Chiffre d'affaires par produit », page 72 du livre de l'élève.

La position permet de comparer des éléments les uns par rapport aux autres : Sont-ils égaux, ou bien certains représentent-ils plus ou moins que d'autres ? *Ex.* : « François a obtenu les plus mauvais résultats ». Les mots qui signifient *égal à, plus grand* ou *plus petit que* sont la marque d'une position. Ce type de comparaison est décrit par un graphique appelé histogramme. *Ex.* : le graphique « Chiffre d'affaires par vendeur », page 72.

L'évolution est la comparaison qui nous est la plus familière. Cette fois-ci, on ne s'intéresse pas à la taille de chacune des parties d'un tout, ni à leur classement, mais à la façon dont elles varient dans le temps. Les marques de l'évolution sont des mots tels que *en hausse, en baisse, croissance, augmentation, diminution, stable*, etc. *Ex.* : « Du 1ᵉʳ au 30 janvier, le cours de l'action Vivax a triplé. » Le graphique « Cours de l'action Vivax », page 71 du livre de l'élève, ainsi que le graphique page 44 du CAHIER D'EXERCICES, sont deux graphiques d'évolution.

B. Concurrence externe

• **Activités 1, 2, 3, page 73**
Suggestions
Activité 3
Les acteurs s'efforceront d'utiliser un vocabulaire précis. C'est à eux de choisir le type de graphique approprié.

Corrigé

Activité 1

• Effectifs : [...] Chacune emploie environ 150 personnes, soit presque **10** fois plus que Guidon. Les effectifs de Guidon sont exactement **la moitié** de ceux de Coppi.
• Chiffre d'affaires : [...] le chiffre d'affaires de Coppi représente seulement le **dixième** de celui de Biclou. Quant à Guidon, ses ventes s'élèvent à 220 000 euros.
• Bénéfices : [...] Guidon, au dernier rang, réalise un bénéfice **trois** fois moins important que celui de Coppi.
• Part de marché : En Europe, Patin et Biclou détiennent à elles deux presque **90 %** du marché. Loin derrière arrivent Coppi avec seulement 4 % du marché, puis Guidon avec un peu **moins** de 3 %.

Activité 2

1. Biclou emploie seulement **2** salariés **de plus** que Patin. • 2. En termes de chiffre d'affaires, Patin fait environ **16** fois **mieux** que Guidon. • 3. Guidon réalise un bénéfice **7** fois **moins élevé** que celui de Biclou.

Activité 3

Le graphique décrit par A est un histogramme. Celui décrit par B est un camembert.

Graphique A : Bénéfices Pompix

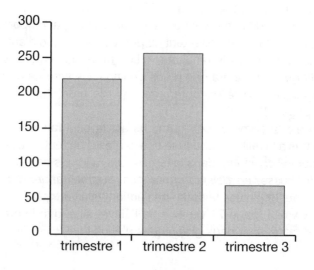

Graphique B : Parts de marché

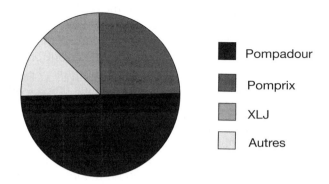

Pompadour

Pomprix

XLJ

Autres

3 Réussir dans les affaires (pages 74 et 75)

A. Le bon marché

Suggestions

Le texte introductif doit d'abord être compris de tous. Assurez-vous que tout le monde sait ce qu'est un grand magasin et saisit bien qu'il s'agit d'une « interview posthume », donc fictive, de M. Boucicaut.

Les étudiants feront les exercices 1 et 2 par groupes de deux. Circulez dans la classe pour aider les uns et les autres. Les étudiants qui butent sur certains mots peuvent interroger le professeur, mais il ne leur est pas interdit de consulter le lexique en fin d'ouvrage (p. 153).

Les exercices de la page 48 du CAHIER D'EXERCICES constituent un prolongement de cette activité.

Pour élargir le sujet, on pourra s'interroger sur les techniques modernes de marchandisage.

Corrigé

Activité 1. a-4 • b-3 • c-1 • d-5 • e-2.

Activité 2. Six raisons expliquent le succès du Bon Marché : prix compétitifs ; délais de paiement importants (inutile ainsi de recourir au crédit pour financer les stocks) ; prix fixes, marqués (de cette façon, les vendeurs ne perdent plus de temps à marchander) ; reprise de tout article défectueux ; entrée libre (les clientes entrent et finissent par acheter) ; vendeurs rémunérés à la commission (un mode de rémunération motivant).

Pour votre information

Le grand magasin est « une entreprise commerciale de vente au détail, disposant d'une surface de vente importante librement accessible au public, et offrant dans un même établissement la quasi-totalité des biens de consommation, généralement vendus au comptoir, et certains services, dans un ensemble de rayons dont chacun fait office de magasin spécialisé. » (ACADÉMIE DES SCIENCES SOCIALES).

Le marchandisage (en anglais : *merchandising*) est né avec le libre-service : il n'y a plus de vendeurs, les produits doivent se vendre seul. Les premières techniques du marchandisage ont été appliquées de façon méthodique à partir de 1960 et se sont rapidement développées dans les supermarchés et les hypermarchés. *Ex.* : les produits de grande consommation sont placés au fond du magasin de façon à ce que le client passe devant certains rayons, les produits dont on veut pousser la vente sont placés à hauteur des yeux, ou dans des présentoirs installés au carrefour des allées, les produits complémentaires sont placés les uns à côté des autres (chaussettes, chaussures, cirage), etc.

Le saviez-vous ? Dans son ouvrage *Au bonheur des dames*, Émile Zola transpose de manière romancée l'histoire du Bon Marché. Il y décrit le modèle social de type paternaliste mis en place par son propriétaire, avec les avantages dont bénéficiait le personnel : logement, restaurant, médecin, crèche, maison de repos, congés payés, repos hebdomadaire, bibliothèque, cours de chant, d'escrime, d'anglais, etc.

B. Le juste prix

Suggestions

Pour résoudre ce mini-cas de marketing, utilisez la méthode des cas (Voir page 14). Des groupes de deux à quatre personnes répondent à la première question, puis la classe entière dégage une solution commune. La deuxième question sera traitée selon la même procédure.

Corrigé

Proposition :

Activité 1

Il ne faudrait pas que les utilisateurs voient dans le remplacement des pièces métalliques par des pièces en plastique une baisse de la qualité. Or une baisse du prix risquerait de conforter cette perception et d'atteindre l'image de l'entreprise.

Il semble donc préférable de proposer un prix légèrement supérieur. De cette façon, les utilisateurs penseront que ce nouveau couteau, plus cher, est aussi de meilleure qualité. L'entreprise pourra consacrer la marge dégagée pour offrir des avantages démontrant la supériorité du nouveau produit : extension de la garantie, reprise d'un ancien couteau pour l'achat d'un nouveau, etc.

Activité 2

L'entreprise fera connaître le nouveau produit en participant à des salons professionnels (salon de la restauration, salon de l'agriculture, etc.), en faisant de la publicité dans des magazines professionnels ou sur certains sites Internet, en incitant les distributeurs à en faire la promotion sur le lieu de vente (PLV : publicité sur le lieu de vente), etc.

La publicité par l'intermédiaire des grands médias (presse grand public, affichage, radio, cinéma, télévision) n'est pas assez sélective. Quant à la publicité directe, qui consiste à remettre en mains propres ou à envoyer de la documentation aux milliers d'utilisateurs potentiels (restaurateurs, bouchers, etc.), elle est irréaliste, parce que trop coûteuse.

Pour votre information

Pour vendre ses produits, l'entreprise doit savoir quoi vendre et à qui. Elle doit aussi savoir où vendre, comment vendre, quand vendre, etc. Bref, elle doit connaître son marché. C'est seulement après avoir répondu à ces questions, c'est-à-dire une fois qu'elle connaît son marché, qu'elle pourra passer à l'action.

Dans une deuxième étape, elle prendra des décisions concernant :
– le produit : Quelle marque ? Quel conditionnement ? Etc.
– le prix : Quel prix ?
– la distribution : Grandes surfaces ? Petit commerce ? Franchise ? Etc.
– la communication : Quelle publicité ? Quelle promotion ? Etc.
– la force de vente : Combien de vendeurs ? Quel type de vendeurs ? Comment les rémunérer ? Etc.

Connaître pour agir, c'est l'idée force du marketing.

4 Chercher des opportunités (pages 76 et 77)

A. Analyser un secteur

• L'avis du consultant (page 76)
Suggestions

L'avis du consultant soulève au moins deux questions :
– La bourse est-elle un bon moyen de s'enrichir ?
– Comment allier affaires et éthique ?
Les étudiants commenceront par donner leur avis sur ces questions. Ils trouveront des conseils pour investir en bourse à la page 51, exercice 4, du CAHIER D'EXERCICES.

Pour votre information

Un moyen de gagner en bourse est de vendre une action à un prix plus élevé qu'on ne l'a achetée (on peut aussi jouer à la baisse). Pour certains, il existe des techniques qui permettent, sinon de gagner à tous les coups, du moins de limiter les risques. Pour d'autres, la bourse est un jeu de hasard. Ces derniers avancent, entre autres arguments, que les cours reflètent instantanément toutes les informations disponibles et que ces cours ne vont varier que dans la mesure où de nouvelles informations arrivent. Comme personne ne peut prévoir de quoi seront faites les nouvelles informations, personne ne peut prévoir les cours futurs.

Les fonds éthiques, appelés encore « investissements responsables », sont apparus dans les années 80. Ces fonds choisissent d'investir dans des sociétés qui respectent l'individu et l'environnement, et qui apportent, selon eux, une véritable richesse à la collectivité. En sont donc exclues les sociétés qui font travailler les enfants, ou qui polluent l'environnement, ou encore qui opèrent dans des secteurs comme l'armement, l'alcool, le tabac, la pornographie, etc. Selon certaines enquêtes, 70 % des investisseurs accepteraient de vendre leurs actions si la société était à l'origine « *d'un événement grave, jugé socialement irresponsable* ».

L'avis de Sylvie Grenade (page 76)
Suggestions

Les étudiants donneront leur avis sur l'affiche publicitaire reproduite dans le livre ou plus exactement sur l'efficacité de ce type de campagne publicitaire. Pensent-ils que c'est là un bon moyen de faire baisser la consommation de tabac ? Que pensent-ils aussi de l'obligation faite aux fabricants, dans plusieurs pays, de porter des mentions comme « le tabac nuit gravement à la santé » ou « le tabac tue » sur les paquets de cigarettes ?

Avant de lire le texte de Sylvie Grenade, et afin de préparer cette lecture, sollicitez l'avis des étudiants. Pensent-ils que le secteur du tabac a encore de beaux jours devant lui – et pourquoi ? Le professeur se contente de rassembler les opinions, sans donner la sienne.

Corrigé

Proposition :

Exercice a.

• **Forces de l'industrie du tabac**

– Dans certains pays, comme la Turquie et la Chine, il y a de plus en plus de fumeurs.

– L'industrie du tabac a des moyens de pression importants.

– Dans les pays industrialisés, les lois anti-tabac n'ont pas entraîné une diminution du nombre de fumeurs.

– Les femmes, et particulièrement les jeunes femmes, fument de plus en plus.

L'industrie du tabac a d'autres atouts, que Sylvie Grenade ne mentionne pas :

– Les fabricants de tabac traversent les crises sans difficultés. Crise ou pas crise, les fumeurs continuent à fumer.

– Même dans les pays industrialisés, l'environnement culturel reste favorable à la cigarette, notamment chez les jeunes. Pour beaucoup, fumer reste un acte de maturité, voire de virilité.

– Peu d'entreprises se partagent le marché, qui est mondial. Les fabricants de tabac sont des géants, très puissants.

• **Faiblesses**

– Des lois anti-tabac ont été adoptées dans les pays industrialisés : les espaces fumeurs sont de plus en plus restreints, la publicité pour le tabac est étroitement encadrée, etc.

– Les fabricants des tabac sont poursuivis en justice.

On peut ajouter que les campagnes publicitaires anti-tabac sont de plus en plus fréquentes et virulentes.

Exercice b. Conseille-t-elle de placer son argent dans ce secteur ?

Sylvie Grenade expose ses arguments, sans donner de conseil explicite. D'un côté, elle semble penser que l'industrie du tabac continuera à prospérer. Ses arguments en ce sens sont plus nombreux et pèsent plus que les arguments contraires. D'un autre côté, elle émet des réserves d'ordre moral : « malheureusement, les jeunes filles fument », « les femmes ne sauveront pas leur vie de cette façon ».

Même si l'industrie du tabac continue à se développer, Sylvie Grenade nous fait comprendre qu'elle n'aime pas le secteur. Pour avoir la conscience tranquille, on peut en conclure qu'il vaut mieux investir dans des secteurs aussi porteurs d'avenir que l'industrie du tabac, mais plus « propres ».

Pour votre information

B. Analyser une entreprise

• Activité 1, page 77

Suggestions

Les étudiants répondront par groupes de deux à toutes les questions **a** à **c**.
• Exercice supplémentaire : un étudiant décrit une entreprise connue, sans la nommer. Aux autres de découvrir de quelle entreprise il s'agit.

Corrigé

a. IBM est une entreprise informatique. *Toyota* est une entreprise automobile. Le *Crédit Lyonnais,* une banque. *Lufthansa,* une compagnie d'aviation. *Carrefour,* un grand distributeur. *Pierre Cardin,* une maison de haute couture.
b. Lufthansa transporte des voyageurs. Le Crédit Lyonnais fournit des services financiers. Toyota fabrique des voitures. Pierre Cardin crée des vêtements. IBM fabrique des ordinateurs. Carrefour vend des biens de consommation.

Pour votre information

Lufthansa

Entreprise allemande de transport aérien née en 1926. Ses activités, interrompues en 1945, reprennent en 1955. Au cours des années 90, Lufthansa, privatisée, devient une entreprise concurrentielle. Avec British Airways et Air France, elle est l'un des trois grands transporteurs aériens en Europe.

Crédit Lyonnais

Banque française fondée à Lyon en 1863 par divers hommes d'affaires lyonnais et genevois. En 1882, la banque transfère son siège social à Paris. Elle est nationalisée en 1946. Après avoir connu un développement spectaculaire, la banque se lance, dans les années 1980, dans des investissements à haut risque qui l'amènent au bord de la faillite. Recapitalisée par l'État, elle est privatisée en 1999.

Toyota

Après une expérience dans l'industrie textile, Sakachi Toyoda décide en 1938 de diversifier les activités de l'entreprise familiale vers l'automobile. Les premiers véhicules sortent peu avant la Seconde Guerre mondiale. En 1959, le fondateur transforme Toyoda en Toyota. La ville où l'entreprise est installée devient Toyota City et ne vit plus que pour et par l'automobile. Toyota connaît un développement se résumant à un néologisme, le « toyotisme ». Ce système bouleverse les techniques de production : réduction des coûts de production, quasi-absence de stocks, rapidité des séquences de montage. Toyota est le quatrième constructeur mondial derrière General Motors, Ford et Daimler-Chrysler.

Carrefour

Carrefour est un groupe français, numéro 2 mondial de la grande distribution, derrière l'américain Wal-mart et devant le groupe germano-suisse Métro. Le premier magasin Carrefour ouvre en 1963. Aujourd'hui, il existe à peu près 10 000 magasins Carrefour répartis dans une trentaine de pays en Europe, en Asie et en Amérique. Le Groupe Carrefour emploie plus de 360 000 personnes dans le monde dont 120 000 en France.

À la croisée des cultures (page 80)

Suggestions

Suivez la méthode des cas (page 14). Des groupes de deux à quatre personnes répondent à l'ensemble des questions. Puis on met en commun.

Corrigé

Proposition :

• **Comparez Pumpkin et Potiron.**

a. La distance hiérarchique est-elle courte ou longue ?

Chez Pumpkin, elle est plutôt courte. On peut donner deux raisons :

– Dès le premier entretien, Tom ne met aucune distance entre lui et Vincent.

– Vincent doit prendre ses responsabilités en fixant lui-même son objectif de vente.

Chez Potiron, elle est plutôt longue. On peut également donner deux raisons :
– Lucas est surpris par le ton très amical de l'entretien avec Tom, ce qui laisse à penser qu'il en est autrement chez Potiron.
– La direction impose toujours aux vendeurs des objectifs de vente. Autrement dit, les supérieurs décident, les subordonnés obéissent.

b. La culture est-elle féminine ou masculine ?
Chez Pumpkin, elle est plutôt masculine : Tom ne veut pas entendre parler des problèmes familiaux de Lucas, qui est brutalement licencié.
Chez Potiron, la culture est féminine : « Le chef se montrait toujours compréhensif. », nous dit le texte.

• **Quelle est l'entreprise la plus efficace ?**
La méthode « à la dure » des cultures masculines ne veut pas nécessairement dire que les salariés sont plus efficaces. La performance dépend de bien d'autres facteurs. Dans un environnement de culture féminine, les salariés peuvent se sentir protégés, plus à l'aise et donc mieux disposés à travailler. Lucas était considéré comme un bon vendeur chez Potiron. De toute évidence, ce type de culture, à orientation féminine, lui convenait mieux.
En conclusion, disons que les salariés sont d'autant plus efficaces qu'ils travaillent dans un environnement qui leur convient.

Pour votre information

• *Comment mesurer la distance hiérarchique*
On reconnaît une culture à distance hiérarchique courte (pays scandinaves, États-Unis) à plusieurs caractéristiques : les subordonnés ne considèrent pas leurs supérieurs comme des gens à part, il y a une mobilité sociale et professionnelle importante, les subordonnés ont la confiance de leurs chefs et donc plus de responsabilités, chacun doit assumer ses choix et ses erreurs, etc.
Dans une culture à distance hiérarchique longue (pour ce qui est de l'Europe, la France et l'Espagne, par exemple), les classes sociales et professionnelles sont bien séparées, il y a peu de mobilité d'une classe à l'autre, les supérieurs donnent des ordres et les subordonnés exécutent, etc. Au final, personne n'est vraiment responsable de ses actes, et les réflexions du type « c'est le chef qui m'a dit », « je n'ai fait qu'exécuter les ordres » sont fréquentes.

• *Comment distinguer culture masculine et culture féminine*
Dans une culture masculine, on sépare nettement les sphères professionnelle et privée. Les chefs prennent des décisions au vu des seuls résultats. Ils ne cherchent pas ou cherchent peu à évaluer les résultats au vu de considérations extra-professionnelles. On n'a pas ou peu de pitié pour ceux qui échouent.
Dans des entreprises à culture féminine, les chefs se montrent plus compréhensifs, plus indulgents. Ils cherchent à apprécier les résultats au vu d'éléments extra-professionnels. La sphère privée empiète sur la sphère professionnelle.

• **_Cela dit,_** la culture d'une entreprise ou d'un service est marquée par de nombreux facteurs, et notamment par la personnalité du ou des dirigeants. Dans le cas « Pumpkin et Potiron », Tom est présenté comme un stéréotype de la culture d'entreprise américaine. Mais un autre Tom, tout aussi américain, aurait pu se montrer plus compréhensif.

7 | travail

1) Répartir les tâches (pages 82 et 83)

A. Organigramme
• Activités 1 et 2, page 82

Corrigé

Activité 1. 3. Ventes • 4. Achats • 6. Entrepôt • 5. Comptabilité • 9. Personnel •
7. Accueil-Standard • 8. Après-vente • 1. Ateliers • 2 Marketing.

Activité 2.

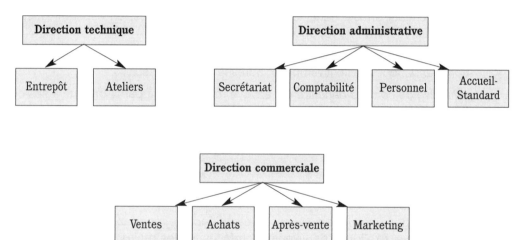

Pour votre information

Les trois grandes fonctions de l'entreprise

Rappelons que l'entreprise produit et vend des biens et/ou des services dans un but lucratif. On distingue la *fonction technique* (produire) et la *fonction commerciale* (vendre). Entre les deux, et pour faire le lien, il faut ajouter la *fonction administrative*. Dans une entreprise individuelle, le propriétaire – l'entrepreneur – remplit à lui seul ces trois fonctions. Un artisan plombier, par exemple, répare la tuyauterie (fonction technique), vend ses services (fonction commerciale) et établit lui-même les devis et les factures (fonction administrative).

Dans une grande entreprise, des centaines, voire des milliers de travailleurs sont répartis dans des groupes, qu'on appelle des services. Chaque service remplit une fonction déterminée. Par exemple, les services de la comptabilité ou du personnel remplissent une fonction administrative, le service marketing remplit une fonction commerciale, etc. L'organigramme est une description graphique de l'organisation de l'entreprise, chaque entreprise ayant sa propre manière de s'organiser, et donc son propre organigramme.

• Activité 3, page 82

Corrigé

1. Marketing • 2. Personnel • 3. Comptabilité • 4. Ventes • 5. Comptabilité • 6. Achats

Pour votre information

Une étude de marché vise à mieux connaître les différents agents du marché : consommateurs, concurrents, distributeurs, etc. Dans le cadre d'une étude de marché, l'entreprise peut réaliser une enquête.

Le sondage est un type d'enquête qui consiste à collecter des informations auprès d'un *échantillon* de personnes.

Une lettre de candidature spontanée ne répond pas à une offre d'emploi. Le demandeur d'emploi envoie cette lettre à plusieurs entreprises, en espérant que, sur le nombre, il recevra une réponse favorable.

La commande est souvent passée au moyen d'un formulaire, appelé *bon de commande*, que le client remplit et adresse au fournisseur.

Le relevé de compte bancaire est envoyé régulièrement par la banque à ses clients. Il les informe sur la situation de leur compte (débiteur ou créditeur) à un moment donné.

B. Secrétariat

• Activités 1 et 2, page 83

Suggestions

Comme indiqué dans le tableau sur « Le subjonctif », reportez-vous à la page 139 du livre de l'élève, expliquez de vive voix ou faites lire les règles 1 à 6. Ensuite, les étudiants font les exercices A et B ainsi que ceux de la page 52 du CAHIER D'EXERCICES.
Il est préférable que les étudiants aient rapidement une vue d'ensemble du subjonctif. Nous reviendrons dans les leçons suivantes sur ses emplois principaux.

Corrigé

1. Cinq verbes sont au subjonctif présent : *promène, fasse, arrose, aille, choisisse, achète.* Comme le suggère le tableau, ils sont au subjonctif parce qu'ils sont précédés de *« il faut que »* et *« il veut que »*. À noter que *« je crois que »* est suivi de l'indicatif.
2. 1. réponde • 2. prenne • 3. écrive • 4. réserve • 5. traduise • 6. reçoive.

• Activités 3, 4, page 83

Suggestions

Activité 3

Par groupes de deux, les étudiants recherchent un ou plusieurs critères objectifs permettant de distinguer les tâches acceptables de celles qui ne le sont pas. Temps de préparation : de 5 à 10 minutes. Puis mise en commun.

Les étudiants expliqueront la ou les raisons pour lesquelles telle tâche est acceptable alors que telle autre ne l'est pas. Par exemple, il ne suffit pas de dire que Charlotte ne doit pas arroser les plantes, encore faut-il expliquer pourquoi. Dans l'exercice suivant, Maryse apporte sa propre réponse à cette question.

Corrigé

Activité 4

Exercice a. Maryse refuse d'effectuer des tâches :
– qui lui paraissent humiliantes (faire le ménage, arroser les plantes),
– qui concernent la vie privée de son patron (faire les courses pour son patron),
– qui lui sont demandées seulement parce qu'elle est une femme.

Exercice b. Par contre, elle accepte d'effectuer des tâches qui lui paraissent importantes pour l'entreprise, même si ces tâches ne sont pas prévues par son contrat de travail. Par exemple : s'occuper des clients pendant la journée, aller au restaurant avec eux, se charger de leur acheter des cadeaux.

Pour votre information

À côté de l'organisation formelle (organigramme, définition de fonctions, contrat de travail, etc.), il existe une organisation officieuse, plus conforme à la réalité. Ainsi, derrière les fonctions officielles du secrétariat, se cachent d'autres tâches, bien réelles, dont il ne faut pas oublier de parler.

• L'avis du consultant (page 83)

« Il est important qu'une secrétaire sache prendre des notes. »

Pour votre information

Assistant ou secrétaire ?
On parle de plus en plus d'« assistant » et de moins en moins de « secrétaire ». Un assistant est supposé être plus qualifié qu'un secrétaire, ses tâches sont plus diverses, il a plus de responsabilités. Aujourd'hui, avec leur ordinateur, les chefs rédigent eux-mêmes leur courrier (avec plus ou moins de bonne volonté). L'époque où le secrétaire prend des notes sous la dictée de son patron est révolue.

2) Aménager l'espace de travail (pages 84 et 85)

A. Saint-Fior

Suggestions
Cette page 84 est principalement consacrée à l'expression de la condition.
L'exercice 2 peut être considéré comme un exercice d'évaluation prospective. Faites faire et corrigez cet exercice avant de passer à ceux de la fin de l'ouvrage et du CAHIER D'EXERCICES, et avant même toute explication.

Corrigé

Proposition :

1. Jean-Charles travaille efficacement pourvu qu'il soit seul dans son bureau et pourvu que la porte soit fermée. • 2. Pour Jean-Charles, on travaille efficacement si on peut travailler seul. • 3. Vous pouvez rencontrer Jean-Charles à condition de prendre rendez-vous auprès de son assistante. • 4. Vous pouvez joindre Charlotte en appelant d'abord l'accueil-standard. • 5. Jean-Charles vous recevra si vous avez une bonne raison de le rencontrer.

• L'avis du consultant (page 84)

« Si on est motivé, on peut travailler dans n'importe quelle condition. »

Suggestions

Les étudiants expliquent d'abord par écrit à quelle(s) condition(s) eux-mêmes travaillent efficacement. Chacun écrit deux ou trois phrases en employant une expression de la condition. Puis la classe met en commun.

B. Tokyo Blouse
• Activité 1, page 85

Suggestions

Chacun répond d'abord individuellement, puis essaie de s'entendre avec son voisin sur une réponse commune. Puis la classe met en commun.

Corrigé

Saint-Fior : 1, 3, 4, 5, 6, 7. – Tokyo Blouse : 2, 7, 8, 9.

Quelques commentaires :

4. *« On est obligé de se déplacer sans arrêt. »* Chez Saint-Fior, l'espace est cloisonné. Il faut se déplacer de bureau en bureau pour communiquer. Toutefois, grâce aux technologies de l'information (Intranet), on communique aujourd'hui en envoyant des mails de bureau à bureau.

5. *« Quand un visiteur nous rend visite, il peut immédiatement distinguer les chefs des subordonnés. »* Chez Saint-Fior, la taille du bureau est fonction de la position hiérarchique. La règle est simple : votre bureau occupe d'autant plus d'espace que votre poste est élevé. *« Charlotte*, dit le texte de la page 84, *est installée dans le bureau voisin. C'est une pièce plus petite que celle de son patron, mais plus grande que celle de Maryse, l'assistante du directeur commercial. »* Bref, le bureau du directeur se repère facilement : c'est le plus grand et il se trouve généralement au centre. Question de statut.

7. *« Notre organisation est adaptée à notre culture. »* Cette affirmation vaut aussi bien pour Saint-Fior que pour Tokyo Blouse. On dit, sans doute à juste titre, que la place du groupe est plus importante au Japon que dans les pays occidentaux. Au travail comme ailleurs, les Japonais vivent davantage en collectivité. En ce sens, les Occidentaux, et les Français en particulier, seraient plus individualistes. C'est pourquoi ils n'apprécient guère les espaces aménagés « à la japonaise » qui les

« collectivisent ». En conclusion, chacun doit trouver l'aménagement qui lui convient, et il n'est pas toujours judicieux d'importer tels quels les modèles d'organisation d'une autre culture.

8. *« L'organisation de Tokyo Blouse favorise la communication entre les salariés. »* Chez Tokyo Blouse, la communication est constante. On voit et on entend toute la journée ce qui se passe chez ses collègues. La communication se fait de façon implicite. Chez Saint-Fior, au contraire, chacun reste chez soi, dans son bureau, porte fermée, coupé des autres. On ne communique qu'à des occasions précises, au cours des réunions, par exemple. La communication est plus explicite.

9. *« L'organisation de Tokyo Blouse permet aux supérieurs hiérarchiques de mieux contrôler et d'évaluer leurs subordonnés. »* Chez Tokyo Blouse, les supérieurs hiérarchiques peuvent contrôler leurs subordonnés à tout moment. Et vice versa : chacun contrôle aussi bien qu'il est contrôlé. Chez Saint-Fior, les employés sont enfermés dans leur bureau, on ne sait pas ce qu'ils font. Travaillent-ils vraiment ou lisent-ils le journal ?

Chez Tokyo Blouse, le chef a plus de moyens pour évaluer ses employés. Il les connaît mieux, il en sait davantage sur chacun d'eux. Par exemple, il sait que M. Tayaka a des ennuis familiaux et il en tiendra compte. Au contraire, dans les organisations où chacun travaille dans son coin, les informations circulent moins, la sphère privée empiète peu sur la sphère professionnelle, et le directeur ne peut évaluer qu'au vu des seuls résultats professionnels.

• **Activité 2, page 85**

Pour votre information

Comment aménager l'espace de travail : quelques propositions

Dans les bureaux dits paysagers, l'espace est divisé par des cloisons mobiles ou des plantes, de différente hauteur. Chacun dispose de son propre bureau, et peut facilement communiquer avec ses collègues, ou même les (aperce)voir. Ce type d'aménagement est un compromis entre l'espace, très fermé, de Saint-Fior et celui, très ouvert, de Tokyo Blouse.

Autre aménagement possible : personne ne dispose d'un bureau en particulier. Les employés occupent les espaces disponibles au fur et à mesure qu'ils arrivent. Chaque espace est équipé d'un matériel de base : une prise, par exemple, pour brancher son ordinateur, et une connexion Internet. Mais ce type d'aménagement est loin de faire l'unanimité, car les salariés ont besoin d'un « coin à eux », d'un territoire qui leur appartient en propre.

Le travail à domicile est une autre possibilité, que le développement des moyens technologiques devrait faciliter. D'après certaines enquêtes, les travailleurs à domicile seraient plus efficaces. Mais ce mode de travail, qui exige beaucoup d'auto-discipline, est loin de convenir à tout le monde.

• Activité 3, page 85

Corrigé

Proposition :

Société Saint-Fior
Prêt-à-porter
67, avenue des Champs-Élysées
75008 Paris

De : …
À : Jean-Charles Delamare   Paris, le…
Directeur général

Rapport sur l'aménagement de l'espace de travail

À la suite de votre demande du 3 mars, je vous présente mes observations sur l'aménagement du nouvel espace de travail de Saint-Fior.

• Avantages de l'aménagement actuel :
– Chacun peut se concentrer facilement sur son travail et accroître ainsi son efficacité.
– L'intimité de chacun est préservée.
En cela, l'aménagement actuel est bien adapté à notre culture individualiste.

• Inconvénients de l'aménagement actuel :
– Il ne favorise pas la communication. D'après le petit sondage que j'ai effectué, beaucoup de salariés se sentent isolés.
– Les employés doivent se déplacer sans arrêt et perdent ainsi un temps précieux.
– De plus, si on le compare à celui de Tokyo Blouse, l'aménagement actuel est coûteux.
– Certains employés ajoutent qu'il est parfois difficile de vous rencontrer.

• Propositions :
Compte tenu de ces observations, je vous propose d'aménager dans les nouveaux locaux des bureaux paysagers, qui seraient des espaces individuels séparés par des cloisons mobiles ou des plantes vertes.
Ce type d'aménagement a l'avantage de faciliter la communication tout en préservant l'intimité de chacun. De plus, il est économique.
Toutefois, il me paraît important que le directeur continue à disposer de son propre bureau.
Je propose enfin d'organiser régulièrement dans nos locaux des cocktails, qui donneront à tous l'occasion de se connaître et de vous rencontrer.

Je reste à votre disposition, Monsieur le Directeur, pour tout renseignement complémentaire.

Signature

Pour votre information

- **_Qu'est-ce qu'un rapport ?_**

L'objet d'un rapport est de rendre compte d'un problème, de l'analyser et de proposer des solutions. Le rapport aide un supérieur hiérarchique à prendre une décision. L'auteur du rapport propose, mais il ne décide pas.

– En en-tête du rapport sont indiqués le nom de la société, les nom et qualité de son auteur ainsi que ceux du destinataire, la date de création, le titre « RAPPORT », son objet.

– L'introduction est précédée d'un titre de civilité : Monsieur le Directeur, Madame la Directrice, etc. Elle rappelle la demande du supérieur et précise l'objet du rapport.

– Le développement présente les faits, expose les problèmes, contient des propositions.

– Le style est impersonnel pour la relation des faits. Il devient personnel pour la présentation de la solution : _Je_ propose, Il _me_ semble que, etc.

– La lecture du rapport peut être facilitée par des intertitres et par la mise en relief d'informations importantes.

– Un rapport peut se terminer par la conclusion suivante : « _Je reste à votre disposition, Monsieur le Directeur, pour tout renseignement complémentaire_ ». Il n'y a pas de formule de salutation. Le rapport est signé.

Il faut distinguer le rapport du compte rendu. Comme son nom l'indique, le compte rendu rend compte. Il ne fait rien de plus. Son auteur relate objectivement l'essentiel d'un événement. _Ex._ : le compte rendu de réunion.

3 Résoudre les conflits du travail (pages 86 et 87)

A. Établissements Croquard

• Activité 1, page 86
Suggestions

Par groupes de deux à quatre personnes et selon la méthode des cas (voir page 14), les étudiants répondent aux questions **a.** et **b.** Temps de préparation : cinq minutes. Ils doivent expliquer en détail les causes du conflit. Pour l'instant, il n'est pas nécessaire de rechercher des solutions. Cette question viendra plus tard.

Corrigé

Proposition :

Exercice a.

Quel est le problème ?

Camille : Les techniciens et les commerciaux ont du mal à s'entendre et à coopérer. D'après Camille, les techniciens ne voient que l'aspect technique du produit et n'attachent pas d'importance aux besoins des clients.

Vincent : Vincent a un conflit avec un vendeur. Comme le vendeur ne pouvait pas lui présenter de facture, il a refusé de lui rembourser ses frais de déplacement. Le vendeur est parti en colère.

Exercice b.

Quelles sont les causes du problème ?

Dans les deux situations, il y a un problème de communication.

Camille : Les commerciaux, comme Camille, ne s'intéressent qu'au marché et oublient les contraintes techniques. Quant aux techniciens, ils ne s'intéressent qu'à l'aspect technique du produit et oublient que ce produit, pour être vendu, doit répondre à un marché. C'est un dialogue de sourds.

Vincent : Pour Vincent, le comptable, toute dépense doit être justifiée. De son point de vue, c'est une absolue nécessité. Mais Marcel est vendeur. La comptabilité, ce n'est pas son problème. Il ne comprend pas l'importance qu'on peut attacher à un bout de papier comme la facture.

• Activité 2, page 86

Suggestion

Lisez ou faites lire le témoignage de Béatrice et assurez-vous que tout le monde le comprend. Ensuite, les étudiants répondent, par groupe de deux, à la question de l'exercice **a**. Ils doivent émettre des hypothèses. *Ex.* : Adrien accepte mal d'être sous les ordres d'une femme, Béatrice est complexée, etc. Temps de préparation : 5 minutes. Puis mise en commun.

Passez à l'exercice **b.** et faites écouter une ou plusieurs fois le témoignage d'Adrien. Récapitulez ses arguments. En sait-on davantage ? Vos étudiants ont-ils changé d'avis ? Faites remarquer combien il est risqué de se faire une opinion avant d'entendre les deux parties. Béatrice et Adrien sont sans doute l'un et l'autre de bonne foi, il n'empêche que leur version du conflit est très différente. Relevez le problème de communication.

Il est difficile de trouver une solution. Si vos étudiants pensent que les deux protagonistes devraient se rencontrer et s'expliquer, vous pouvez organiser un jeu de rôle. Deux étudiants jouent respectivement les rôles de Béatrice et d'Adrien, ils s'expliquent et essayent de s'entendre.

La recherche d'une solution conduit naturellement la classe à réagir à l'avis du consultant.

• L'avis du consultant (page 86)

« Je propose d'organiser un pique-nique obligatoire pour tout le personnel. »

Suggestions

Travaillez selon la méthode des cas (page 14). Par groupes de deux à quatre personnes, les étudiants recherchent des propositions concrètes et réalistes.

Par exemple, faire appel à la bonne volonté du personnel de Croquard n'est pas une proposition satisfaisante. Temps de préparation : 10 minutes. Puis mise en commun.

Corrigé

Proposition :

Le pique-nique est une solution qui va dans le bon sens, mais elle est insuffisante. On peut craindre que les gens qui se connaissent restent entre eux. Or l'objectif est d'amener des gens provenant de services différents à se rencontrer. Autour du pique-nique, il faudrait prévoir des activités de groupe.

Pour votre information

B. Laboratoires Techgène
• Activités 1, 2, 3, page 87
Suggestions
Activité 2
Travaillez selon la méthode des cas (page 14). Les étudiants répondent à la question par groupes de trois à quatre personnes. Temps de préparation : 15 minutes. Puis mise en commun.

Corrigé

Activité 1
(1) reçut • (2) demanda • (3) fit • (4) témoigna • (5) reconnut • (6) proposa • (7) refusa • (8) dit • (9) téléphona • (10) menaça.

Activité 2
Proposition :
On peut considérer que les agissements de Léo ne sont pas tolérables et justifient son licenciement. Cela dit, la meilleure décision n'est peut-être pas celle qui s'appuie sur des considérations d'ordre moral, mais celle qui répond aux intérêts de l'entreprise. Plusieurs raisons plaident contre le licenciement :
– La première, et la plus importante, tient au fait que Léo est difficilement remplaçable.

– Devant un juge, Maude aura du mal à apporter des preuves à ses allégations.

Il paraît difficile, dans ces conditions, de se débarrasser de Léo.

Hormis le licenciement, Fabien peut envisager d'autres sanctions à l'encontre de Léo : avertissement (oral ou écrit), rétrogradation, mise à pied, blâme, etc.

Activité 3

Proposition (considérant « froidement » le seul intérêt de Techgène) :

Laboratoires Techgène
56, rue du Dragon
1050 Bruxelles

De : Fabien Vittel,
     Directeur de Ressources humaines

À : Gabrielle Bontemps
     Directrice   Bruxelles, le 8 mars 2010

Rapport sur le conflit Léo-Maude

Madame la Directrice,

À la suite de votre demande du…, je vous présente mes observations sur le conflit qui oppose Léo et Maude.

Les faits

Maude est assistante de laboratoire depuis trois mois. Léo, responsable du laboratoire, travaille chez Techgène depuis quinze ans.

Maude affirme que Léo lui a fait des avances, qu'elle a refusées. Depuis ce jour, soutient-elle, Léo lui rend la vie impossible.

Au cours de mon enquête, plusieurs personnes ont témoigné en faveur de Maude. Léo lui-même a reconnu qu'il avait « taquiné » son assistante.

Maude m'a demandé le 20 avril de licencier Léo. Pour résoudre le conflit, je lui ai proposé le 24 avril de la muter dans un autre service. Elle a catégoriquement refusé. Le lendemain, son avocat, Maître Lebœuf, m'a menacé au téléphone de poursuivre notre société en justice si Léo n'était pas licencié.

Conclusion

À mon avis, il n'y a pas eu harcèlement sexuel. Maude est une personne extrêmement sérieuse, qui éprouve certaines difficultés à reconnaître une plaisanterie. Léo, de son côté, a la réputation d'avoir une humeur badine et d'aimer les plaisanteries, qui ne sont pas toujours du meilleur goût.

Arguments en faveur du licenciement

Aucun.

Arguments contre le licenciement

Léo travaille dans notre entreprise depuis quinze ans, dont dix ans passés en qualité de responsable de laboratoire. Il est très doué. Nous ne connaissons pas plus de vingt chercheurs dans le monde aptes à le remplacer. Son départ serait extrêmement préjudiciable aux intérêts de notre entreprise. Il n'y a aucun doute qu'il retrouverait immédiatement un poste… chez un concurrent.

Depuis son entrée chez Techgène, Léo n'a fait l'objet d'aucune réclamation. À ma connaissance, aucun conflit de ce type n'a jamais été rapporté.

Propositions

• Concernant Léo

Je vous propose :

– de convoquer Léo,

– de lui expliquer qu'en sa qualité de responsable de laboratoire, il devra à l'avenir connaître les limites de ses plaisanteries, particulièrement vis-à-vis de personnes aussi sensibles que Maude,

– de lui demander de présenter oralement ses excuses à Maude.

• Concernant Maude

Je propose :

– d'une part, de la muter dans notre laboratoire de…, ce qui la rapprocherait de son domicile ;

– et d'autre part, d'augmenter son salaire, en reconnaissance de ses compétences, qui sont indéniables.

En cas de refus de sa part, et si elle poursuit Techgène en justice, il lui sera difficile de rapporter les preuves du harcèlement et donc de gagner son procès.

Je reste à votre disposition, Madame la Directrice, pour tout renseignement complémentaire.

Fabien Vittel

4 Travailler à l'étranger (pages 88 et 89)

A. Prix et salaires

• Activités 1, 2, page 88

Corrigé

Activité 1

J'ai dit que je **cherchais**… Je lui ai expliqué que j'**avais** une formation… Il m'a répondu que je **trouverais** facilement un emploi… et que je **pourrais** gagner un bon salaire… J'ai entendu dire que les Français **travaillaient** beaucoup moins que nous et qu'ils **prenaient** beaucoup de vacances.

Activité 2

Proposition :

Le tableau permet d'apporter des éléments de réponse à Andrej. Toutefois, ce tableau ne concerne pas exactement la situation d'Andrej. Il concerne un ingénieur de 35 ans environ, travaillant dans une grande entreprise électronique et ayant quatre années d'expérience professionnelle. Andrej est un ingénieur mécanique, avec six ans d'expérience. De lui, on sait encore qu'il écrit bien en français, quoiqu'il commette de nombreuses fautes de concordance des temps.

Quant aux petites annonces, elles donnent une idée du montant d'un loyer à Paris. Aucun de ces deux documents ne nous permet de dire s'il est facile ou non de trouver du travail ni si la vie est chère à Paris.

Bref, nous pouvons répondre à Andrej :

– qu'un ingénieur électronique de 35 ans, ayant 4 ans d'expérience, perçoit à Paris un revenu annuel net de 31 600 euros ;

– qu'il a raison de croire que les Français travaillent moins que les Russes : ce même ingénieur travaille en effet 1558 heures à Paris contre 1843 à Moscou ; à Paris, il a droit à 28 jours de congés payés par an alors que son collègue russe n'a droit qu'à 20 jours ;

– qu'il lui faudra débourser, pour se loger à Paris, environ 530 euros par mois, charges comprises, pour un studio meublé, refait à neuf, de 36 m², ou 720 euros, pour un appartement de deux pièces, de 42 m².

• Activité 4, page 88

Corrigé

Proposition :
Imaginons qu'un Parisien réponde à Andrej :

Objet : Travail à Paris
À : Andrej
De : unparisien@français.com

Bonjour,

Je travaille à Paris comme ingénieur mécanique depuis trois ans. C'est ma première expérience. L'entreprise a une cinquantaine de salariés. Au départ, je gagnais 40 000 euros par an. Il y a huit mois, mon salaire est passé à 45 000 euros.

En France la durée légale de congés payés est de 5 semaines par an. À cela, il faut ajouter de nombreux jours fériés. Quant à la durée du travail, elle est en principe de 35 heures par semaine, mais en réalité, je travaille beaucoup plus.

Le coût de la vie à Paris est comparable à celui des grandes villes européennes. Les transports en commun (métro et bus) sont plutôt bon marché et à condition de ne pas sortir chaque soir au restaurant et de ne pas manger comme quatre, on peut se nourrir pour un prix raisonnable.

Par contre, les loyers sont assez élevés. Pour un appartement de 40 m² dans le centre de Paris, il faut compter au minimum 700 euros par mois. Mais le prix n'est pas le principal problème. Encore faut-il trouver un appartement à louer car la demande est bien supérieure à l'offre. Les propriétaires demandent beaucoup de garanties, et ces garanties sont plus difficiles à fournir quand on est étranger.

Mais que cela ne te décourage pas ! Rares sont les ingénieurs qui dorment dans la rue et Paris est une ville formidable.

Bonne chance !

B. Compétitivité du pays

• Activités 1, 2, 3, page 89

Suggestions

Activité 1

Par groupes de deux, les étudiants font une liste des avantages et inconvénients (supposés) de vivre en France. Ensuite, la classe se met d'accord sur une liste commune.

Activité 2

Après avoir répondu aux questions **a.** à **d.**, la classe peut compléter la liste établie pour l'exercice 1.

Activité 3

Le sujet de ce message est plus large que celui du message de l'exercice 4, page 88. Les étudiants peuvent présenter ici les atouts et faiblesses de leur pays dans la course à la compétitivité, étant entendu que les pays se font concurrence pour attirer chez eux aussi bien les investissements que les travailleurs étrangers.

À la croisée des cultures (page 92)

Suggestions

Daniel, un ingénieur français, travaille depuis trois mois dans une entreprise suédoise à Stockholm. Il écrit à l'un de ses amis français une lettre dans laquelle il décrit, **de son point de vue**, les habitudes et les comportements culturels des Suédois.

Après avoir lu cette lettre, les étudiants doivent :
– comparer les cultures française et suédoise,
– imaginer la lettre que Daniel écrirait à son ami s'il travaillait dans leur pays.

Le premier exercice consiste à explorer un à un les stéréotypes évoqués par Daniel.

Avec le deuxième exercice, les étudiants sont amenés à s'interroger sur le regard que porterait un Français sur leur propre culture, et donc à comparer la culture française et la leur.

Cette activité les conduira à lire, à parler et à écrire. Elle doit être traitée avec humour, en forçant sur les stéréotypes.

Corrigé

Proposition :

« *La France,* écrit Daniel, *commence à me manquer* ». Il juge les Suédois par rapport à ce qu'il connaît et à ce qui lui est cher. Tout ce qui n'est pas français lui semble suspect. Comme de nombreux expatriés, il raconte son expérience en restant collé à son point de vue de départ, un peu comme s'il n'était jamais parti.

Quand il écrit qu'il fait un froid de canard à Stockholm, les étudiants peuvent déduire qu'il fait moins froid à Paris qu'à Stockholm. Quand il explique qu'il doit faire des efforts pour arriver à l'heure au rendez-vous, on peut comprendre que les Suédois, ou du moins ceux avec lesquels il travaille, sont plus ponctuels que les Français.

De la même façon, on comprend que les Suédois sont :
– moins portés sur la gastronomie,
– plus sérieux (« trop sérieux, à mon goût),
– plus respectueux des règles (« je fais des efforts pour respecter leurs règles »),

– moins bavards (« les Suédois ne parlent que s'ils sont quelque chose à dire »)
– plus pragmatiques (« ce qui les intéresse, c'est le résultat, ils veulent du concret »),
– plus consensuels (« ils ont horreur du conflit »),
– moins autoritaires (« il ne faut jamais se montrer autoritaire »),
– plus attachés à l'égalité et moins soucieux de leur statut (« tout le monde doit être sur un pied d'égalité, on s'appelle tous par nos prénoms, on prend tous l'avion en classe touriste »)… que les Français.

En reprenant, mais à l'envers, les stéréotypes évoqués par Daniel, on pourrait dire :
– que les Français passent des heures au restaurant, à bavarder de choses et d'autres, pour ne rien dire, en émettant de grandes théories intellectuelles, et en se disputant continuellement,
– qu'ils sont parfois autoritaires et formels et surtout attachés à la hiérarchie,
Et qu'ils sont, comme tout le monde, persuadés d'être les meilleurs.

En conclusion, on peut dire :
– que la lettre de Daniel ne nous dit rien, ou du moins rien d'objectif, sur la culture suédoise ; qu'elle nous informe uniquement sur les différences culturelles entre la France et la Suède ;
– qu'on regarde toujours une culture par rapport à ses propres valeurs ;
– qu'il vaut mieux s'adapter, accepter les choses telles qu'elles sont, chercher à en découvrir les aspects positifs.

1) Consulter les offres d'emploi (pages 94 et 95)

A. Examiner une petite annonce

• **Activités 1, 2, page 94**

Suggestions

Par groupes de deux, et avant de lire le document, les étudiants font une liste des mentions que doit, selon eux, contenir une offre d'emploi. Temps de préparation : 5 minutes. Puis mise en commun. Puis lecture du document.

On comparera l'offre d'emploi de la page 94 avec les offres d'emploi d'autres pays, et notamment celles de votre pays. La lettre de motivation doit-elle être manuscrite ? Faut-il joindre une photo ? Dans certains pays anglo-saxons, le recruteur n'a le droit de demander ni l'âge, ni le sexe, ni la photo du candidat. Qu'en pensent vos étudiants ?

Corrigé

1. Présentation de l'entreprise. • 2. Lieu de travail. • 3. Indication du poste à pourvoir. • 4. Profil du candidat. • 5. Profil du poste. • 6. Conditions de travail. • 7. Modalités de réponse.

Pour votre information

Les cabinets de recrutement : La recherche des candidats peut être faite par l'employeur lui-même ou par un cabinet de recrutement, qu'on appelle aussi un « chasseur de têtes ». Les cabinets de recrutement ont longtemps privilégié les cadres supérieurs. Aujourd'hui ils s'intéressent à toutes sortes de salariés, quel que soit leur niveau hiérarchique. La plupart d'entre eux sont spécialisés par secteurs, métiers ou niveaux hiérarchiques

La graphologie : Une lettre, dite « lettre de motivation », accompagne le curriculum vitae (CV). Les employeurs français demandent souvent, mais pas systématiquement, que cette lettre soit manuscrite (écrite à la main). Leur intention n'est pas nécessairement de faire une analyse graphologique approfondie. Le plus souvent, ils veulent simplement évaluer le soin que le candidat aura porté à la présentation de sa lettre. L'effort d'application est un signe d'adaptation et de volonté de communiquer. Le candidat a donc tout intérêt à soigner son écriture, à faire attention à la mise en page, à rester fidèle aux conventions. On n'écrit pas une lettre de motivation sur le comptoir d'un bar ou dans un train. Ceux qui n'écrivent pas dans leur langue maternelle peuvent le préciser, car l'environnement culturel influence le graphisme.

La discrimination positive : En France, la discrimination positive, qui consiste à accorder des avantages à des personnes considérées comme défavorisées, n'est pas courante.

Les abréviations : Les petites annonces fourmillent d'abréviations et de sigles. Vous trouverez de nombreuses abréviations dans les annonces reproduites à la page 61 du CAHIER D'EXERCICES : Env. (envoyer), rech. (recherche), pro. du tél. (professionnel du téléphone), R.V.cial (rendez-vous commercial), expér. (expérience), H/F (homme/femme), Me Bernard (Maître Bernard), Tél. (téléphone), etc.

B. Rédiger une petite annonce
• Activités 1, 2, 3, page 95
Suggestions
Activité 3
Pour rédiger la « petite annonce de leurs rêves », les étudiants peuvent rechercher dans la presse ou sur Internet une annonce qui leur convient, puis la reprendre telle quelle ou s'en inspirer.

Corrigé
Activité 1

	Annonce 1	**Annonce 2**
Poste à pourvoir	Commerciaux.	Trois assistants, hommes ou femmes, de marketing international.
Modalités de réponse	Contacter Guillaume Perrec, s/réf. 520, GLMS, 14000 Caen.	Envoyer lettre de motivation et CV s/réf. à BCG à Minerve, 77100 Melun.
Employeur	Société leader dans la photo, clientèle de professionnels, 800 salariés, 50 € de chiffre d'affaires.	Groupe leader dans la grande distribution.
Profil du poste	Développer les ventes, gérer un secteur de clientèle, conseiller.	Effectuer des traductions, de la relecture de textes, assurer les relations avec les clients.
Possibilité d'évolution	Non précisé.	Non précisé.
Profil du candidat	Bac + 2 (soit deux années d'études après le baccalauréat) et/ou une première expérience, l'ambition de réussir.	Personnes de langue anglaise ou espagnole possédant une première expérience dans la traduction et/ou dans le marketing, maîtrisant, de préférence, les outils informatiques Word et Excel, dynamiques, organisées, possédant un bon sens des relations.
Durée du contrat	Non précisé.	Non précisé.
Lieu de travail	Région Nord.	Région parisienne.
Conditions de travail	Travail en équipe. Méthodes modernes.	Non précisé.

Activité 2
puisse, connaisse, ait, soit, sache.

« Pour trouver un bon travail, il faut avoir des relations. »

Pour votre information

Utilisez vos relations pour trouver un emploi

En France, d'après certaines enquêtes, près de 50 % des emplois s'obtiennent par relations, et 80 % des cadres retrouvent un travail en utilisant leur réseau. On sait aussi qu'une lettre de recommandation jointe à une candidature augmente fortement les chances de succès du candidat.

Il ne faut pas confondre les relations et le « piston » : le candidat n'est pas jugé sur ses origines, mais sur ses compétences. Ses relations lui permettent simplement d'obtenir des informations, des conseils, de nouvelles relations et de parvenir au recruteur avec une recommandation. Mais à la différence du piston, cette recommandation ne suffit pas à décider d'une nomination.

2 Expliquer ses motivations (pages 96 et 97)

A. Découvrir ses motivations

• **Activités 1, 2, 3, page 96**

Suggestions

Activité 3

Les étudiants travaillent à deux. Temps de préparation : 5 minutes maximum. Puis mise en commun. Comme deux individus exerçant une même profession peuvent avoir des objectifs différents, il est difficile de donner une réponse unique. Mais ce sera l'occasion de débattre.

On peut aussi se demander ce que, dans les professions citées, on ne recherche pas. Il y a de fortes chances, par exemple, que le dévouement ne soit pas ce qu'un acteur de cinéma recherche en priorité.

À partir du questionnaire d'enquête, exercice 2, page 62 du CAHIER D'EXERCICES, les étudiants s'interrogeront sur ce qu'eux-mêmes recherchent en priorité dans un emploi.

Corrigé

Activité 1

Exercice a. 1. proposez, un objectif. • 2. essayez. • 3. l'intention, de manière à. • 4. évitez. • 5. cherchez, tâchant

Exercice b. 1-c. 2-e. 3-a. 4-b. 5-d.

Activité 2

Proposition :

Différents indices permettent de dire que Jean-Marc recherche en priorité le statut : il a épousé la petite-fille d'un célèbre romancier, il habite dans une grande maison, situé dans un bon quartier, son fils va dans une des meilleures écoles du pays, il joue au golf, un sport prisé par certaines classes sociales.

Jean-Marc fait son possible pour sortir de son milieu d'origine : devenir une star du cinéma, épouser la petite-fille d'un célèbre romancier, travailler comme directeur financier, jouer au golf, tout cela va dans le même sens.

Activité 3

Proposition :

Le chef d'une petite entreprise : Autonomie le plus souvent et parfois pouvoir. Pas la sécurité, ni le dévouement.

Une infirmière : Dévouement. Pas le statut, ni le pouvoir.

Un médecin : Statut dans de nombreux pays, mais pas dans tous. Dévouement, autonomie. Le plus souvent, pas la sécurité.

Un acteur de cinéma : Autonomie, statut, pouvoir. Pas la sécurité, ni le dévouement.

B. Rédiger une lettre de motivation

• Activité 1, page 97
Suggestions

Ce type d'exercice aide les étudiants à prendre conscience des formes correctes. De plus, il correspond à une situation authentique (une personne demande à une autre de corriger ses fautes.

En corrigeant, il faut évidemment expliquer les règles qui s'appliquent. Procédez paragraphe par paragraphe : combien de fautes dans le 1er, dans le 2e, etc. De nombreuses fautes concernent l'accord du participe passé. C'est là-dessus que portent l'exercice, page 145 du livre de l'élève, et l'exercice 1, page 62 du CAHIER D'EXERCICES.

Terminez l'activité par une dictée de la lettre.

Corrigé

retenu, permets, requises, nombreux, parler, étudié, connaissances, adresse, déménagerai, bureaux, prie.

• Activités 2, 3, page 97

Corrigé

Activité 2

a. « Votre annonce parue ce jour… mon attention » (1er paragraphe) • b. « Je me tiens à votre disposition… vous conviennent. » (avant-dernier paragraphe) • c. « je me permets… que vous proposez. » (1er paragraphe) • d. « Je vous adresse ci-joint… précisions utiles » (3e paragraphe). • e. « Je pense remplir… connaissances en allemand. » (2e paragraphe).

Le deuxième paragraphe est le plus difficile à rédiger. C'est également le plus intéressant, et celui que l'employeur lira avec le plus d'attention. Le candidat y explique en quoi son profil est bien en adéquation avec la définition du poste.

La lettre de Corinne Mercier est bien écrite, mais elle manque d'originalité. Hormis le deuxième paragraphe, tous les autres sont « passe-partout » et pourraient être copiés-collés dans n'importe quelle autre lettre de motivation. Au contraire, en écrivant une lettre originale, comme celle de la page 63 du CAHIER D'EXERCICES, le candidat attire l'attention du recruteur, mais ce faisant, il prend évidemment quelques risques.

Pour votre information

Qu'est-ce qu'une lettre de motivation ?

Le premier objectif d'une lettre de motivation n'est pas d'obtenir un emploi, mais d'obtenir un rendez-vous. En quelques lignes, le candidat doit donner au recruteur l'envie de le rencontrer en lui permettant de déceler sa motivation et de tracer son portrait.

La lettre de motivation accompagne le CV et ne doit pas répéter des informations qui sont déjà contenues dans ce CV :

– Dès la première phrase, le candidat doit se référer aux besoins et aux attentes de l'entreprise.

– Dans le deuxième paragraphe, il explique en quoi son profil correspond à l'analyse faite dans le premier paragraphe. Il ne doit pas se limiter à dire qu'il est créatif, il doit aussi donner quelques exemples concrets.

– Après avoir démontré que sa candidature est en adéquation avec les attentes de la société, il sollicite un rendez-vous.

Bref, une bonne lettre de motivation prouve au futur employeur que la candidature correspond aux attentes de l'entreprise, elle le rassure sur les qualifications et qualités personnelles du candidat. Elle doit même faire un peu plus. Car les lettres qui font la différence sont celles qui savent établir le contact grâce à une touche personnelle.

• L'avis du consultant (page 97)

« *Pour motiver les travailleurs, il suffit de bien les payer.* »

Pour votre information

Une fois motivés, pense-t-on, les individus travailleront mieux. Mais l'argent n'est pas le seul moteur de la motivation. Reconnaître, par exemple, la valeur de ses collaborateurs et la qualité de leur travail peut également contribuer à les motiver.

Mais est-il réellement possible d'agir sur la motivation en satisfaisant certains besoins, pécuniaires ou de reconnaissance ? Pas sûr.

Et puis, est-il réellement possible de motiver les travailleurs ? D'après P. Morin et E. Delavallée (*Le Manager à l'écoute du sociologue*, Éditions d'Organisation), « On ne motive pas ses collaborateurs, ils se motivent eux-mêmes. Parce que eux seuls savent quelle action est en mesure de satisfaire leurs besoins. » Autrement dit, un travailleur, ça ne se motive pas.

Certains pensent même qu'il faut se méfier des motivés et plus encore des « hyper-motivés » qui ne chercheraient qu'à satisfaire leur ego, qui ne s'intéresseraient qu'à la performance individuelle, qui seraient incapables de travailler en équipe.

Enfin, l'idée selon laquelle il y a forcément une relation directe entre la motivation des travailleurs et leur performance est elle-même contestable. Un individu extrêmement motivé, qui adore son travail et qui pense qu'il est bien payé, peut être mal organisé et donc parfaitement inefficace.

3 Rédiger un curriculum vitae (pages 98 et 99)

A. Conseils

• Activité 1, page 98

Suggestions

On ne rédige pas un CV de la même façon d'un pays à l'autre (voir page 104, livre de l'élève). À l'intérieur d'un pays, on trouve également des différences selon le secteur d'activité, le type d'entreprise, etc. À partir du très classique CV de Corinne Mercier, on expliquera les règles de base de rédaction d'un CV destiné à un employeur français. Il sera intéressant de relever les différences entre ce CV « à la française » et le CV du pays d'où viennent vos étudiants.

Corrigé

3. Elle doit écrire « Corinne Mercier » au lieu de « Mercier Corinne ». • 5. Elle n'a pas besoin de préciser que *Les Croix de bois* sont une association catholique. • 6. Inutile de préciser l'adresse de l'hôtel Rix. • 7. Elle peut supprimer « Lecture, voyages, cinéma », c'est trop banal. Qui n'aime pas la lecture, les voyages, le cinéma ? • 8. Elle ne doit pas signer.

Pour votre information

Comment rédiger un CV « à la française »

• Présentation

De préférence, un CV doit tenir sur une page. Pourquoi ? Parce que les recruteurs reçoivent de nombreux CV et ne veulent pas passer trop de temps à les étudier. Ils veulent comprendre rapidement, presque d'un seul regard, à quel candidat ils ont affaire. Mais cette règle de la page unique n'est pas absolue. Les personnes ayant une longue expérience professionnelle peuvent écrire leur CV sur deux pages.

• Accroche

L'accroche en tête du CV est de plus en plus fréquente. Elle consiste à indiquer dans un encadré soit l'intitulé de son métier (*ex.* : Hôtesse d'accueil), soit ses points forts (*ex.* : Trilingue chinois-russe-français), soit son projet professionnel (*ex.* : Mon objectif : participer au développement d'une PME en lui apportant mon expérience). Il est inutile d'écrire le titre « curriculum vitae ». Même sans cette précision, le recruteur comprendra qu'il s'agit d'un CV, pas d'un permis de conduire. Les mentions inutiles encombrent le texte, affectent sa lisibilité. Le candidat doit donner un maximum d'informations en un minimum de mots.

• État civil

On indique son prénom, puis son nom. L'inverse ne vaut que pour les dossiers administratifs. Un seul prénom suffit. Il est inutile de le faire précéder de « Madame », « Mademoiselle » ou « Monsieur ». Il vaut mieux écrire le nom en majuscules dans le cas où il y aurait confusion possible entre le nom et le prénom (*ex.* : Paul MICHEL).

Il faut écrire son âge en chiffres, sans préciser sa date de naissance. Les employeurs passent 25 secondes sur chaque CV et ne doivent pas employer ce précieux temps à calculer l'âge du candidat. En outre, que le candidat soit né en janvier ou en août présente un intérêt minimal. Rares sont les employeurs qui donnent de l'importance au signe zodiacal.

• Formation

Il est inutile de commencer par l'école maternelle, ou de mentionner les diplômes intermédiaires obtenus au fil des années d'étude. D'une façon générale, plus on avance en âge, moins il devient nécessaire de présenter ses diplômes en détail. On indique les années de formation, le lieu d'étude et d'obtention du diplôme (nom de l'école, ville, pays), l'intitulé du diplôme.

• Expérience professionnelle

On ne mentionne pas l'adresse des précédents employeurs. Le nom de la société, son activité et sa localisation géographique suffisent. Si la société s'appelle IBM ou Coca Cola, il est superflu de préciser son secteur d'activité.

On peut choisir d'écrire un CV chronologique, anti-chronologique ou par domaine de compétences. Chaque type de CV est adapté à une situation particulière (voir CAHIER D'EXERCICES, exercice 3, page 65). Dans tous les cas, il est indispensable de préciser les dates. Les années suffisent. Il est inutile de mentionner les mois ou les jours.

On indique l'intitulé de la fonction occupée (ex. : Hôtesse d'accueil), puis on décrit succinctement en quoi consistait la tâche (ex. : chargée d'accueillir, de renseigner et d'orienter les visiteurs), et éventuellement les résultats obtenus. Les stages font partie de l'expérience professionnelle.

• Activité 2, page 98

Corrigé

1. (Un CV) doit tenir… Vous devez… • 2. Il est inutile d(e)… • 3. Je vous conseille de… • 4. Mieux vaut… • 5. Ne mentionne pas… • 7. Vous avez intérêt à… • 8. On ne signe pas… Réservez (votre)…

Autres possibilités :
– Il faut/faudrait que + *subjonctif*, il faut/faudrait + *infinitif*.
– Il vaut/vaudrait mieux que + *subjonctif*, il vaut/vaudrait mieux + *infinitif*.
– Tu ferais bien/mieux de + *infinitif*.
– Vous n'avez qu'à + *infinitif*, Il n'y a qu'à + *infinitif*.
– Si tu veux un conseil/Si je peux me permettre de te donner un conseil, tu devrais + *infinitif*.
– Si j'étais à ta place/Moi, à ta place, je + *conditionnel présent*.

• On peut donner un conseil avec :
– l'impératif présent : Mets ta photo, c'est mieux.
– l'indicatif présent : Tu écris ton nom en majuscules, c'est plus clair.
– le conditionnel avec « devoir » : Tu devrais demander conseil à un spécialiste.

B. Sélection
• Activité 1, page 99
Suggestions

Travaillez selon la méthode des cas (page 14). Les étudiants prennent une décision par groupes de deux à quatre personnes. Les membres d'un groupe doivent se mettre d'accord sur une seule candidate : ils ne peuvent pas convoquer les deux. Temps de préparation : de 10 à 15 minutes. Puis mise en commun. Un porte-parole présente les conclusions de son groupe. Puis la classe se met d'accord sur la bonne candidate.

Corrigé

Proposition :

Nadia a plus d'expérience professionnelle et surtout une expérience plus variée que Corinne. On peut dire aussi, de façon moins positive, qu'elle a un parcours tortueux, instable. Au contraire, le parcours de Corinne est linéaire : sa formation et son expérience professionnelle la conduisent assez naturellement vers le métier d'hôtesse d'accueil. Corinne est plus jeune, est-ce un atout ou un handicap ?

Nadia n'a pas terminé ses études, et bien qu'elle fasse habilement entrer les langues dans la partie « Formation », les « expériences » restent largement prédominantes. En fait, elle a appris son métier sur le tas, c'est presque une autodidacte. Au passage, on remarque qu'elle ne précise pas où précisément elle a travaillé. Elle maîtrise probablement mieux l'anglais et l'allemand que Corinne.

On remarque surtout que les deux candidates ont une façon bien différente de se présenter. Le CV de Corinne est très classique, sans originalité, plutôt terne. Celui de Nadia est original à plusieurs points de vue : les appréciations qu'elle porte sur ses expériences, la photo tout sourire (qui tranche avec celle de Corinne), les différentes couleurs, etc. On sent deux personnalités différentes, et c'est cela le plus remarquable. Les employeurs attachent autant, voire plus d'importance à la personnalité des candidats qu'à leurs qualifications professionnelles.

Nadia est certainement compétente dans de nombreux domaines. Elle semble s'adapter et apprendre vite. On se dit qu'elle pourra évoluer au sein de l'entreprise. Mais l'annonce, qui propose un poste d'hôtesse d'accueil dans un cabinet d'avocats, ne prévoit aucune évolution de carrière.

Manifestement, Nadia est une personne dynamique, mais on peut craindre justement qu'elle ne soit trop dynamique. Une hôtesse d'accueil ne passe-t-elle pas la plupart de son temps assise au comptoir ? Mais le plus troublant, c'est que Nadia change très souvent d'emploi. Combien de temps restera-t-elle à ce nouveau poste ? On préférera ne pas prendre de risque.

En conclusion, les qualifications professionnelles, mais surtout la personnalité de Corinne nous paraissent plus en adéquation avec le poste et c'est donc Corinne que nous souhaitons rencontrer.

• Activité 2, page 99
Suggestions

Avant de rédiger leur propre CV, les étudiants tireront quelques derniers enseignements des CV de Corinne et de Nadia. Donnez-leur la possibilité de choisir entre un CV classique, comme celui de Corinne, ou original, tel celui de Nadia. Récapitulez avec eux les différences entre les deux CV.

Ils relèveront qu'à la différence de Corinne, Nadia indique ses coordonnées et son état civil dans la marge gauche, qu'elle colle une photographie plutôt originale (coupée) dans cette même marge, qu'elle ne place pas d'encadré en-tête, qu'elle commence par l'expérience professionnelle, que son CV est anti-chronologique, qu'elle décrit les tâches pour chaque poste, qu'elle ajoute un bref commentaire sur chacun des postes occupés, qu'elle insère les langues dans la formation, qu'elle écrit dans un style familier (« Je ne me fais pas de souci pour rien »), qu'elle utilise différentes couleurs, etc.

• **L'avis du consultant (page 98)**

« Dans un CV, il faut dire toute la vérité. »

Pour votre information

Un bon CV dit la vérité sous un jour favorable

La majorité des CV présentent des anomalies, qui vont du petit maquillage (augmenter son salaire ou valoriser la fonction que l'on occupait précédemment) au mensonge manifeste (se prévaloir de diplômes que l'on n'a pas).

Pourtant, le candidat n'a pas intérêt à mentir. Dès l'entretien, on peut lui demander de se justifier et si d'aventure il obtient un emploi grâce à un (gros) mensonge, il sera constamment mal à l'aise et sous la menace d'être découvert.

Le meilleur CV n'est pas le cheval de Troie qui permet d'entrer par ruse dans une entreprise. C'est celui qui fait un bon portrait du candidat. Le meilleur CV est celui dans lequel le candidat se reconnaît.

Dire la vérité ne signifie pas pour autant qu'il faille tout dire. D'abord, certaines informations ne regardent pas l'employeur. Par exemple, il est inutile d'insister sur ses périodes de chômage ou de préciser qu'on en est à son troisième divorce. Dire la vérité ne signifie pas non plus qu'il faille être modeste. Les employeurs s'attendent à ce que candidat fasse valoir ses compétences, ses aptitudes, ses talents, ses qualités et expériences. En rédigeant son CV, le candidat n'a qu'à penser à ce que son meilleur ami dirait de lui : voilà ce qui doit apparaître sur un CV. L'exercice consiste à se présenter sous un jour favorable, sans modestie ni prétention.

4 Passer un entretien d'embauche (pages 100 et 101)

A. Préparation

Suggestions

Les étudiants se mettent d'accord sur une réponse avec leur voisin.

Corrigé

Proposition :

1. **Pourquoi voulez-vous quitter votre emploi ?**

Il faut éviter de critiquer son actuel employeur (**a.** n'est donc pas une bonne réponse). **b.** ne serait pas une bonne réponse pour un poste de cadre, mais est acceptable pour un emploi d'hôtesse standardiste. **c.** indique que le candidat cherche à s'impliquer dans un travail qui l'intéresse. → **b.** ou **c.**

2. **Qu'est-ce qui vous intéresse dans cet emploi ?**

Inutile de flatter le recruteur. Il est légitime de s'intéresser aux perspectives d'avenir, à l'organisation et aux conditions du travail. → **a.**

3. **Avez-vous proposé votre candidature à d'autres entreprises ?**

Mieux vaut être franc. Il n'est pas gênant de dire quelques mots sur les entreprises contactées. Toutefois, dire qu'on a posé sa candidature auprès d'une centaine d'entreprises, c'est laisser entendre qu'on est dans une situation désespérée et qu'on est prêt à accepter n'importe quel emploi dans n'importe quelle entreprise. → **b.**

4. Quelles sont vos qualités ?

Pensez à des qualités qui peuvent vous servir dans l'emploi que vous demandez. → **a.**

5. Et vos défauts ?

Pas trop d'humour et un peu de franchise. On peut penser à des défauts qui peuvent devenir des qualités dans certaines situations professionnelles, le risque étant toutefois que le recruteur ne revienne à la charge en disant : « Ce que vous venez de me dire n'est pas un défaut, mais plutôt une qualité. Quels sont vos défauts, au juste ? » Parmi les défauts, mieux vaut citer un défaut qui ne soit pas trop gênant pour le poste proposé, en essayant de le minimiser. *Ex.* : « Je suis plutôt bavard, mais je sais me contrôler. » → **a.** dans un premier temps.

6. Préférez-vous travailler seul ou en équipe ?

Savoir travailler avec d'autres est une qualité rare et recherchée. **a.** laisse entendre qu'on ne travaillera en équipe qu'à la condition que l'équipe soit motivée. **c.** donne l'impression qu'on cherche la compagnie des autres, pas tellement pour travailler, mais pour fuir la solitude. → **b.**

7. Quelles sont vos activités extra-professionnelles ?

C'est l'occasion d'évoquer ses centres d'intérêt qui, même s'ils ne sont pas de nature professionnelle, peuvent renseigner l'employeur sur certaines qualités personnelles. Dire qu'on n'a pas de loisirs paraît suspect, et les salariés les plus acharnés au travail ne sont pas toujours les plus efficaces ni les plus coopératifs. Dire qu'on joue au tennis tous les jours montre qu'on sait prendre et trouver le temps de se détendre, encore que le « chaque jour » soit peut-être un peu exagéré. Dire qu'on aime la pêche et la sieste peut faire craindre un tempérament peu dynamique et enclin à la paresse. → **a.**

8. Quel salaire souhaitez-vous ?

Le recruteur a en tête une fourchette de salaire. Il faut être réaliste. Ni trop modeste, ni trop gourmand. Il faut se renseigner sur les salaires proposés pour des emplois similaires, en consultant, par exemple, les petites annonces. En choisissant **b.**, le candidat montre qu'il sait ce qu'il veut, mais il ne laisse aucune marge de négociation. Avec **c.**, il y a fort à parier que l'employeur choisira le bas de la fourchette, mais, à la demande du candidat, il peut s'engager à augmenter le salaire après un certain temps. → **b.** ou **c.**

9. Avez-vous une question à me poser ?

L'entretien d'embauche n'est pas à sens unique. Les employeurs apprécient les candidats qui sont curieux du poste qu'on leur propose. Aussi faut-il toujours prévoir quelques questions et, si possible, des questions pragmatiques. *Ex.* : Le poste nécessite-t-il de fréquents déplacements ? Quelle promotion puis-je espérer dans la société ? Ai-je été assez précis(e), ou bien souhaitez-vous d'autres renseignements ? Avec **c.**, on met en doute les atouts de l'entreprise. → **b.**

Pour votre information

D'autres questions sont fréquemment posées lors d'un entretien d'embauche. En voici quelques-unes, pêle-mêle : Pourquoi avoir choisi notre entreprise ? Dans vos études, quelles matières préfériez-vous ? Lesquelles aimiez-vous le moins ?

Avez-vous connu des échecs ? Quelle a été votre plus belle réussite ? Si vous pouviez recommencer vos études, feriez-vous les mêmes ? Vous entendez-vous toujours bien avec vos collègues ? Qu'est-ce que vous ne supportez pas chez les autres ? Avez-vous un plan de carrière ? Quel type d'emploi espérez-vous avoir à 30 ans ? À 50 ans ? Quelles questions n'aimeriez-vous pas qu'on vous pose ? Combien de temps resterez-vous avec nous ? Ce poste intéresse de nombreux candidats, pour quelle(s) raison (s) devrais-je vous préférer ? Pouvez-vous me raconter une histoire drôle ? Etc.

Mais aussi des questions plus personnelles : Êtes-vous marié(e) ? Avez-vous des enfants ? Comptez-vous en avoir ? Que fait votre conjoint(e) ? Tant que ces questions restent sur ce registre, le candidat, en France du moins, ne peut pas se dérober. En revanche, il n'a pas à répondre à des questions portant sur ses convictions religieuses et politiques, ou sur sa vie sexuelle.

D'une façon générale, l'entretien vise à évaluer la personnalité du candidat, plus que son aptitude professionnelle.

B. Sélection
• Activité 1, page 101

Corrigé

Proposition :

1. *D'accord.* Mieux vaut commencer par des sujets anodins pour mettre le candidat à l'aise, de façon à ce qu'il ait la sensation de participer à une discussion, pas à un interrogatoire policier.

2. *D'accord.* Tout candidat s'attend à être interrogé sur ces sujets. C'est même par là que la plupart des recruteurs commencent. « Parlez-moi de votre parcours » est une entrée en matière fréquente.

3. *Pas d'accord.* Contrairement à une idée reçue, prendre des notes au cours d'un entretien encourage le candidat à s'ouvrir, à s'exprimer davantage.

4. *Pas d'accord.* Mieux vaut laisser, faire parler le candidat, et l'écouter. Ce n'est pas au recruteur de parler.

5. *D'accord.* Tout ce que dit le candidat est instructif. Il faut hocher la tête plutôt que manifester son désaccord.

6. *D'accord.* Il ne faut pas prendre de décision précipitée en donnant l'impression au candidat qu'il ne sera pas embauché.

Lorsqu'on prépare un entretien d'embauche, il peut être instructif de se mettre un instant à la place du recruteur.

• Activité 2, page 101
Suggestions

Avant l'écoute, les étudiants font, par groupes de deux, une liste des erreurs que le candidat ne doit pas commettre lors d'un entretien d'embauche. Temps de préparation : 5 minutes. Puis mise en commun. Puis écoute des cinq candidats, sans interruption. Pendant l'écoute, les candidats prennent des notes.

Après l'écoute, les étudiants font, toujours par groupes de deux, une évaluation des cinq candidats qu'ils viennent d'entendre. Temps de préparation : 5 minutes. Puis mise en commun. On écoutera de nouveau chacun des candidats.

Corrigé

Proposition :
Candidat 1. Ne s'intéresse pas au travail. Ne pense qu'à l'argent et aux vacances. • *Candidat 2*. Manque de discrétion et de loyauté. • *Candidat 3*. Ne donne pas assez d'informations. Manque d'enthousiasme, de curiosité, d'initiative. N'a pas d'avis. • *Candidat 4*. Répond clairement, précisément, de façon pertinente. • *Candidat 5*. Beaucoup de problèmes personnels. Exigeant, difficile. → Le *candidat 4* semble le plus apte.

• Activité 3, page 101

Corrigé

Proposition :
• *J'aurais dû* arriver à l'heure, regarder mon interlocuteur dans les yeux, mieux m'habiller, cirer mes chaussures, mieux me préparer, apprendre l'annonce par cœur, être plus cordial, plus concis, moins agressif, etc.
• *Je n'aurais pas dû* lui parler de mes problèmes avec ma belle-mère, préciser que j'étais au chômage, dire du mal de mon ancien employeur, donner l'impression que j'étais prêt(e) à accepter n'importe quoi pour n'importe quel salaire, etc.
• *Il aurait fallu* que je me documente sur l'entreprise, que je sois plus détendu, plus sûr de moi, plus naturel, que je me mette plus en valeur, que je sois moins modeste, que je montre plus d'intérêt pour le poste, que je prépare des questions, etc.
• *J'aurais pu* être plus convaincant, plus précis, demander un salaire plus élevé, etc.

• Activité 4, page 101
Suggestions
Avant l'entretien
La phase de la préparation est importante. Il faudra se mettre d'accord sur une offre d'emploi. Les rôles peuvent être distribués et les consignes expliquées au cours d'une séance précédant le jeu de rôle proprement dit.
Le recruteur peut faire passer un ou plusieurs entretiens. Dans ce dernier cas, plusieurs candidats sont en compétition et le recruteur sélectionne le meilleur.
Comme indiqué dans la consigne, une équipe de trois à cinq personnes, chacune à l'écart de l'autre, aide le candidat et le recruteur à préparer l'entretien. Tout le monde – le recruteur, bien sûr, mais aussi toute la classe – prendra connaissance du CV du ou des candidats.
Pendant que les joueurs se préparent, le reste du groupe examine le CV du candidat et prend connaissance des consignes du recruteur.
Le recruteur et son équipe peuvent mener l'entretien de différentes façons. Une ou plusieurs personnes peuvent interroger le candidat. Ils peuvent aussi s'entretenir avec plusieurs candidats à la fois. D'autre part, le recruteur a le choix entre les stratégies A

ou B. S'il y a plusieurs candidats, il peut aussi alterner l'une et l'autre stratégie. Bref, comme il est dit dans la consigne, c'est au recruteur et à son équipe de décider.

Pendant l'entretien
Au risque d'entraver la spontanéité des acteurs et la fluidité de l'entretien, interrompez éventuellement l'entretien pour corriger les fautes de langue.

Après l'entretien
Une fois l'entretien terminé, les observateurs – c'est-à-dire la classe – et les acteurs eux-mêmes commentent la prestation du candidat ainsi que la ou les stratégies du recruteur et éventuellement, si le recruteur a choisi un candidat, le bien-fondé de ce choix.

• L'avis du consultant (page 101)
« On peut juger de la compétence d'une personne dès la première rencontre. »

Pour votre information
Peut-on juger de la compétence d'une personne dès la première rencontre ?
La fréquentation, même prolongée, d'un ami permet rarement de percer sa véritable nature ou son comportement dans un contexte professionnel. *A fortiori*, les compétences d'un individu peuvent très difficilement être décelées au cours d'une seule rencontre.
Il est risqué de se fier aux apparences. Il se peut que derrière une apparence anodine se cache une personne d'exception. Ou alors, comme le dit un proverbe chinois, certains sont « bruyants à l'extérieur, vides à l'intérieur ».
En réalité, l'évaluation d'un candidat requiert une grande masse d'informations et une connaissance approfondie des comportements.

À la croisée des cultures (page 104)
Suggestions
Les étudiants rédigeront un texte d'une centaine de mots concernant leur pays et destiné à être inséré à l'article. S'ils viennent de l'un des pays cités, ils compléteront les informations données dans le texte.

Corrigé
Proposition :
Quatre pays sont cités : le Japon, les États-Unis, l'Allemagne, la France.
Que faire ou ne pas faire ?
– Au Japon : ne pas mentionner son plan de carrière, ne pas faire valoir son expérience professionnelle, être particulièrement courtois pendant l'entretien.
– Aux États-Unis : avoir un objectif professionnel précis et, pendant l'entretien, être direct et professionnel, montrer qu'on a un esprit d'initiative (l'esprit d'entreprise).
– En Allemagne : ne pas laisser de « trous » dans son CV, présenter un dossier de candidature précis, complet, détaillé, en joignant les copies de diplômes et les

attestations des anciens employeurs, faire preuve d'exactitude (ne pas rester dans le vague) pendant l'entretien.

– En France : présenter son CV sur une page, donner de l'importance à certains diplômes (en particulier, les diplômes délivrés par des écoles françaises prestigieuses).

Dans tous les cas, s'adapter en restant soi-même.

9 prise de parole

1 Pratiquer l'écoute active (pages 106 et 107)

A. Conversations

Corrigé

Proposition :

Le dialogue A n'est pas, à proprement parler, un dialogue. Il s'agit plutôt de deux monologues. Chaque interlocuteur saisit un mot et enchaîne sur ce qui l'intéresse, sans tenir compte de ce que l'autre dit. Il y a deux émetteurs, mais pas de récepteur. Au contraire, B est un vrai dialogue. L'émetteur et le récepteur sont bien identifiés : l'un parle, l'autre écoute, une véritable communication s'établit. Ce type de conversation est sans doute moins fréquent que la conversation A.

B. Reformulations

• L'avis du consultant (page 107)

« *Les gens ne savent pas écouter. Pour bien écouter, il faut poser des questions et reformuler ce que l'autre vient de dire.* »

Suggestions

Pourquoi n'écoute-t-on pas quelqu'un qui nous parle ? Par groupes de deux, vos étudiants répondent à cette question en faisant une liste des raisons pour lesquelles on n'écoute pas. Ils se rappelleront des situations qu'ils ont vécues en se demandant pourquoi ils n'écoutaient pas ou pourquoi on ne les écoutait pas.

Pour votre information

- Une étude a montré qu'en règle générale, l'activité professionnelle se décompose ainsi : écrire : 9 % ; lire : 16 % ; parler : 30 %, écouter : 45 %. On passerait donc près de la moitié du temps de travail à écouter.
- Mais écouter ne va pas de soi. Il faut concentrer toute son attention, non pas sur sa propre réponse, mais sur le discours de l'autre, et faire son possible pour se mettre à sa place. On appelle ça « l'empathie ».
- Pour bien écouter, une technique consiste à reformuler ce que l'autre dit. On lui montre ainsi que notre but est de bien le comprendre. Reformuler consiste à renvoyer une sorte « d'accusé de réception » pour vérifier si l'on a bien compris ce que l'autre a dit et ressent. La reformulation aide l'autre à se confier car il se sent accepté et compris, et non pas jugé. Elle peut l'aider à résoudre un problème en l'amenant à réfléchir à voix haute sur une difficulté, celui qui écoute jouant, en quelque sorte, le rôle de « caisse de résonance ».
- Pour aider l'autre à s'exprimer, il faut lui poser des questions, mais pas en trop grand nombre car la conversation pourrait virer à l'interrogatoire. Il est important de prendre en compte ses silences et de suivre son rythme.
- Bref, reformuler ce que l'autre dit, lui poser des questions n'est pas si simple.

● **Activités 1, 2, 3, page 107**

Suggestions

Activité 3

On peut jouer à deux, comme indiqué dans les consignes du livre. Une variante consiste à faire tenir le rôle B par le reste du groupe : dans ce cas, plusieurs personnes interviennent successivement pour dialoguer avec une personne A. Dans tous les cas, la ou les personnes B doivent respecter les règles du jeu : elles doivent reformuler ce que A dit et lui poser quelques questions, et elles ne doivent ni donner de conseils ni porter de jugement.

On peut compléter la leçon par un jeu de rôle différent, que voici :

Une personne A, l'émetteur, parle à une personne B, le récepteur. La conversation continue jusqu'à ce que B ait bien compris.

– Personne A. Pensez à un problème ou à un événement qui vous fâche ou qui vous inquiète, et racontez.

– Personne B. Écoutez activement en reformulant et en posant des questions. Évitez de porter des jugements ou de donner des conseils.

Enfin, à partir de plusieurs déclarations, comme « je n'arrive pas à parler en français » ou « mon patron ne m'a pas invité à la réunion », demandez à vos étudiants d'imaginer et de rédiger de petits dialogues pour le prochain cours.

Corrigé

Activité 1

Exercice a. 1. finisse, s'en aille, as. ● 2. fait, changent. ● 3. fasse, intervienne.

Exercice b. La meilleure reformulation est la réponse 2.

La réponse 1 déforme la déclaration de Maryse et de plus, ajoute des informations. Maryse ne dit pas qu'elle a peur que Germain ne finisse pas le travail de la journée, ni qu'elle préférerait qu'il s'en aille. Cette réponse contient également un jugement : « Je crois que tu as tort ». Et pour ne rien arranger, c'est un jugement négatif.

La réponse 3 n'est pas même une tentative ou un commencement de reformulation. C'est une suite de conseils et de recommandations : « Calme-toi ! », « Il faudrait que le patron intervienne ». Rares sont les conseils qui apportent des solutions. Généralement, ils ne servent à rien.

Activité 2

Depuis qu'il a comme patron une femme qui ne l'aime pas, l'homme a peur de se retrouver au chômage.

On remarquera que, pour bien écouter, la femme alterne questions et reformulations.

2) **Présenter des objections** (pages 108 et 109)

A. Réprimandes

● **Activités 1, 2, 3 page 108**

Suggestions

Activité 1. Les étudiants écoutent d'abord. Puis certains lisent à haute voix en y mettant le ton.

Activité 2. Ils recherchent de bonnes répliques par groupes de deux ou trois personnes. Temps de préparation : de 10 à 15 minutes. Puis mise en commun.

Activité 3. En réalité, il est difficile d'interrompre son interlocuteur dans une situation pareille. Mais on admettra que, pour une fois, la chef de service est disposée à laisser Antoine glisser quelques répliques. Pendant le jeu de rôle, les acteurs doivent mettre le ton.

Corrigé

Activité 2

Proposition :

[(2)] Je suis désolé, mais le plus souvent je respecte scrupuleusement les délais.

[(3)] Excusez-moi, mais je crois que je n'avais que deux jours de retard.

[(4)] C'est vrai, mais d'un autre côté je termine deux heures plus tard.

[(5)] Je voudrais juste dire que c'est pour parler du travail.

[(6)] C'est vrai, mais pour moi, ce n'est pas un problème, je retrouve facilement mes dossiers.

[(7)] Peut-être, mais Corinne et moi avons des façons de faire différentes.

[(8)] Je voudrais juste vous dire que vous m'avez demandé de faire des photocopies au dernier moment.

• L'avis du consultant (page 108)

« Un bon chef est un chef autoritaire. »

Suggestions

Suscitez les réactions. Puis demandez aux étudiants de faire un portrait du « bon chef ».

Pour votre information

En simplifiant beaucoup, on peut distinguer trois types de chef :
– le chef autoritaire : il prend seul les décisions, donne des ordres, ne laisse aucune autonomie à ses subordonnés, contrôle beaucoup ;
– le chef démocratique : il associe ses subordonnés à ses décisions ;
– le chef laxiste : il ne donne pas de directive et laisse ses subordonnés agir à leur guise.

Ces trois types de commandement peuvent avoir des influences diverses sur le travail des subordonnés :
– Avec le chef autoritaire, les initiatives des subordonnés sont peu nombreuses. Rares sont ceux qui osent exprimer leur désaccord. Pour certains, ce type de commandement est plutôt sécurisant. Pour d'autres, il est étouffant.
– Avec le chef démocratique, les subordonnés sont encouragés à prendre des initiatives. Associés aux décisions, ils se trouvent impliqués dans leur travail. Mais les conflits entre les personnes et les groupes sont parfois difficiles à gérer.

– Avec un chef laxiste, les subordonnés agissent comme ils veulent. Certains prennent des initiatives. D'autres, au contraire, laissés à eux-mêmes, sans objectifs, ni directives éprouvent un sentiment d'abandon et d'anarchie.

Qu'est-ce alors qu'un bon chef ? Il n'y a pas de réponse unique. En France, les choses se passent souvent ainsi : chacun argumente pour ou contre et le bon chef dit : « Voilà ce qu'on va faire. » Bref, les qualités d'un bon chef varient selon l'environnement culturel, d'une situation à l'autre, d'un individu à l'autre.

B. Répliques
• Activités 1, 2, 3, page 109
Suggestions
Activité 1
Avant de passer aux exercices suivants, assurez-vous que tout le monde comprend bien la tactique d'Antoine :
– En concédant, Antoine « flatte » son agresseur, désamorce l'attaque.
– En expliquant, il pose le problème à plat, montre qu'il est plein de bonne volonté.
– En questionnant, il essaye d'incorporer les propositions de son chef dans son travail et d'établir une relation pour l'avenir.

Activité 3
L'exercice peut être préparé par écrit, et, s'il est fait en classe, par groupes de deux.

Corrigé
Activité 1
1. Pour faire une concession à son agresseur : « *C'est vrai que j'ai commis quelques erreurs* ». • 2. Pour lui expliquer les causes du problème : « *Je crois que c'est par manque d'expérience* ». • 3. Pour lui expliquer ce qu'il ressent : « *J'en suis désolé* ». • 4. Pour l'impliquer dans la recherche de solutions : « *Pouvez-vous m'aider à trouver une solution ?* ».

Activité 2
1. Je **comprends** que ce retard vous ait énervé. • 2. Je vous **accord**e que tout n'est pas parfait. • 3. C'est **exact/vrai** qu'on a perdu du temps. • 4. On **est** bien **d'accord** pour **dire** qu'il est incompétent. • 5. J'**admets** que vous ayez raison là-dessus.

Activité 3
Proposition :
1. *Vous parlez vraiment très mal le français.*
Je suis bien d'accord avec vous pour dire que mon français est loin d'être parfait. J'ai commencé à l'apprendre il y a huit mois et c'est la première fois que je suis en France. Connaissez-vous une méthode qui me permettrait de faire des progrès rapidement ?
2. *On dit que la vie dans votre pays n'est pas très agréable.*
Je suis d'accord avec vous pour dire que la vie dans mon pays est loin d'être aussi facile que dans le vôtre. C'est que nous avons traversé des années difficiles et qu'il y a encore de nombreux problèmes. Mais le gouvernement vient d'annoncer toute une série de mesures et j'espère que les choses vont s'améliorer. Je viens justement de

lire un article qui décrit bien la situation. Je peux vous le passer, si vous voulez. Est-ce que ça vous intéresse ?

3. J'ai entendu dire que vous changiez toujours d'avis.

C'est vrai qu'il m'arrive de changer d'avis. En fait, je me pose beaucoup de questions, j'écoute ce qu'on me dit, et je n'hésite pas à me remettre en question. Pensez-vous que ce soit une qualité ou un défaut ?

4. Ça fait un quart d'heure que je vous attends, vous êtes toujours en retard.

Je comprends que ces retards vous énervent. J'ai moi-même du mal à les supporter. Comment faites-vous pour être toujours à l'heure ?

3 Faire une présentation (pages 110 et 111)

A. Techniques d'exposé

• Activités 1, 2, 3, page 110

Suggestions

Activité 1

Par groupes de deux à quatre personnes, les étudiants répondent à la question. Temps de préparation : 10 minutes. Puis mise en commun.

Activité 2

Relevez les expressions, mots de liaison, qui permettent d'articuler le discours : dans une première partie, dans une seconde partie, tout d'abord, d'abord, en premier lieu. Cette introduction contient trois parties : 1. On annonce le sujet. 2. On explique l'intérêt du sujet. 3. On annonce le plan.

L'introduction prend fin après « ... dans une seconde partie les conditions de forme. », là où commence le développement : « Tout d'abord, les conditions de fond... ».

Activité 3

À partir des notes et du tableau « Comment faire » de la page 111, les étudiants reconstituent oralement le texte de la conférence (voir plus loin, « Transcription du texte de la conférences »). Y a-t-il des éléments nouveaux par rapport à ce qui a été dit dans l'activité 1 ?

Corrigé

Activité 2

Conditions de fond : Le **contenu**. La **structure**.
Conditions de **forme**.

Activité 3

Proposition :

Grille d'évaluation

Impressions	Très bonne	Bonne	Moyenne	Mauvaise	Médiocre
Attitude générale – L'orateur est-il détendu, expressif? – Garde-t-il le contact avec le public?					
Contenu – Le sujet et l'objectif sont-ils clairs? – Les idées sont-elles intéressantes? – Le sujet est-il traité? – Le temps imparti est-il respecté?					
Structure – Le plan est-il clair? Distingue-t-on nettement l'introduction, le développement, la conclusion? – Le plan est-il approprié au sujet? Est-il logique? – Les différentes parties sont-elles bien proportionnées?					
Langue – Les règles grammaticales et syntaxiques sont-elles respectées? – Le vocabulaire est-il adapté (au sujet, au public), précis? – Le discours est-il concis, simple, clair, illustré?					
Supports visuels – Les supports visuels sont-ils bien utilisés ou exploités?					
Voix – Le volume de la voix est-il adapté? – L'articulation est-elle bonne? – Le débit est-il régulé? – Les intonations donnent-elles du relief au discours?					
Pauses, silences – Y en a-t-il? – Sont-ils maîtrisés?					
Gestes – Y en a-t-il? – Sont-ils adaptés aux propos?					
Regard – L'orateur regarde-t-il tout son public d'un « vrai regard » ?					

Pour votre information

Transcription du texte de la conférence

« Les conditions de réussite d'une présentation »

Ce matin, je vous parlerai des conditions de réussite d'une présentation. C'est un sujet important car beaucoup d'entre vous ont l'occasion de parler en public. Je vous présenterai dans une première partie les conditions de fond, puis j'aborderai dans une seconde partie les conditions de forme.

Tout d'abord, les conditions de fond. Elles sont au nombre de deux. Elles concernent en premier lieu le contenu et en second lieu la structure.

Commençons par le contenu. Les idées, d'abord, doivent être… intéressantes, c'est évident. Il faut aussi et surtout qu'elles intéressent le public, qu'elles répondent à ses attentes. L'orateur doit traiter son sujet et avoir un objectif clair. Il doit adapter son langage au public, en évitant, par exemple, d'employer des termes trop techniques, que le public ne comprendrait pas. Il a intérêt à illustrer son propos par des exemples, des anecdotes, des témoignages, des notes d'humour. Disons enfin qu'il doit aller à l'essentiel, pour ne pas dépasser le temps qui lui est imparti.

La deuxième condition de fond concerne la structure de l'exposé, et c'est une condition extrêmement importante de la réussite d'un exposé. Les Français attachent au moins autant, sinon plus d'importance à l'organisation des idées qu'aux idées elles-mêmes. Tout exposé comporte trois parties : une introduction, un développement et une conclusion.

L'introduction répond généralement à trois questions : Quoi ? Pourquoi ? Comment ? Autrement dit, on dira : 1. Voilà ce dont je vais vous parler. 2. Voilà pourquoi c'est intéressant. 3. Voilà mon plan.

Après l'introduction vient le développement, qui doit être très structuré, avec deux ou au maximum trois parties bien distinctes.

Pour terminer, la conclusion. Elle comprend d'abord le résumé des principaux points traités, ce que le public doit absolument mémoriser. Ensuite, l'orateur peut soulever une interrogation ou une réflexion. Et finalement il peut demander au public s'il a des questions.

J'en ai terminé avec la première partie de mon exposé, qui était consacré aux conditions de fond. Je vais maintenant passer à la seconde partie, c'est-à-dire aux conditions de forme.

Les conditions de forme sont au nombre de quatre. Je parlerai de la voix, des pauses, des gestes et finalement du regard.

En ce qui concerne la voix, disons tout d'abord qu'il faut parler fort, et au bon rythme, c'est-à-dire ni trop vite ni trop lentement. Il faut respirer, ar-ti-cu-ler pour que chaque mot soit entendu, écouté, compris. Enfin, il faut mettre de l'intonation et de la musicalité dans sa voix.

Deuxième condition de forme, il faut faire des pauses, des silences. Il n'y a rien de plus fatigant qu'une personne qui parle et qui parle sans jamais s'arrêter un instant. Souvent, quelques secondes de silence suffisent pour mobiliser l'attention. Le public entendait une voix, et tout à coup… (pause)… silence. Tiens, que se passe-t-il ? Le silence réveille ceux qui dorment.

À côté de la voix et des pauses, il y a les gestes. Question : Où mettre ses bras ? Et ses mains ? Dans la poche ? Non, c'est trop décontracté. Derrière le dos ? Non, c'est trop militaire. Faut-il croiser les bras ? Non plus, c'est signe que l'on s'enferme, que l'on a peur du public. Alors, que faire ? Eh bien, il suffit simplement d'ouvrir ses bras devant soi. De cette façon, les gestes accompagnent et illustrent le discours, très naturellement. Par exemple, si vous parlez de prix qui montent, il y a fort à parier que vous ferez un mouvement vers le haut avec votre bras.

Pour réussir un exposé, il existe une dernière condition de forme : c'est le regard. Il est important de regarder son public et il faut le regarder d'un vrai regard. Qu'est-ce que cela veut dire ? D'abord, évidemment, qu'il ne faut regarder ni ses pieds ni le plafond. Il ne faut pas non plus regarder une seule personne, ou un seul côté de l'auditoire. Non, il faut regarder tout le monde. Et quand je parle de vrai regard, je veux dire que l'orateur doit poser son regard sur chaque personne. À la fin de la présentation, chacun doit pouvoir dire : « J'ai été regardé personnellement ».

En conclusion, que dire ? Comme vous l'avez remarqué, les conditions de réussite d'un exposé sont nombreuses. Toutes ont leur importance, aussi bien les conditions de fond que les conditions de forme. Il suffit parfois que l'une de ces conditions manque pour que la réussite de l'exposé soit compromise.

Tout ceci, me direz-vous, est plus facile à dire qu'à faire. C'est vrai. Mais ces règles ne sont pas rigides, vous devez les adapter à votre public, et surtout à votre personnalité. Car ce qui est essentiel, c'est de rester soi-même.

Avant que nous passions aux exercices pratiques, c'est avec plaisir que je répondrai à vos questions.

B. Sujet au choix

Suggestions

Faire un exposé en public est un exercice difficile, et, pour ne pas trop se compliquer la tâche, les étudiants ont intérêt à choisir un sujet qu'ils connaissent bien. Ils préparent l'exposé chez eux. Conseillez-leur de modérer leurs ambitions : en trois minutes, ils ne pourront pas transmettre beaucoup d'informations. De toute façon, il n'est pas recommandé de noyer son auditoire dans un grand nombre d'informations. Conseillez-leur de transmettre un message simple et clair, que tout le monde retient, plutôt que de citer à tout va des chiffres et autres statistiques qui n'intéresseront personne. Soyez très strict sur la durée de l'exposé : trois minutes, pas une seconde de plus.

Les sujets de nature polémique, formulés sous forme de questions, sont parmi les plus faciles à traiter, les plus intéressants, et les plus clairs. *Ex.* : La publicité est-elle au service du consommateur ? Quel est l'intérêt de parler français ? À quoi sert l'école ? L'Internet facilite-t-il la recherche d'emploi ? Le télétravail est-il une solution d'avenir ? Mon pays est-il le plus beau pays du monde ? Comment s'enrichir en se reposant ? Etc. Il faut éviter les sujets purement descriptifs du genre « Le Brésil » ou « Le secteur informatique » ou des sujets purement narratifs comme « Mes vacances à la campagne ». Le sujet, ce sur quoi porte l'exposé, doit être compris de tous immédiatement, dès les premières secondes de l'exposé. Avant l'exposé, vérifiez que le sujet est bien posé et que le plan est construit. Apportez les corrections nécessaires.

Après l'exposé, et à l'aide de la grille d'évaluation, tout le monde porte des appréciations. L'orateur commence par donner son avis sur sa propre prestation. Était-il nerveux ? Aurait-il pu mieux faire ? Comment ? A-t-il eu l'impression que le public était intéressé ? Etc. C'est ensuite au tour de la classe de dire ce qu'elle en pense. Le public est généralement plus indulgent que l'orateur. Qu'a-t-il été retenu de l'exposé ? Si personne n'est capable de répondre quoi que ce soit à cette question, c'est mauvais signe, car l'objectif d'une présentation est tout de même de transmettre un message, aussi modeste soit-il. Pour la prochaine fois, quels conseils peut-on donner à l'orateur ?

Il est plus intéressant de filmer les exposés et de faire l'évaluation en visionnant. Si vous avez cette possibilité, filmez tous les exposés les uns à la suite des autres et ensuite, passez à l'évaluation, en visionnant.

4) Poser les bonnes questions (pages 112 et 113)

A. Techniques d'interview

• **Activités 1, 2, 3, page 112**
Suggestions
Activité 3
Les exercices de la page 74 du CAHIER D'EXERCICES prolongent cet exercice sur la modalisation.

Corrigé

Activité 1

a. Marine Lambert prépare le plan de l'entretien ainsi qu'une provision de questions. Elle sait le type d'informations qu'elle cherche à collecter, mais elle ne sait pas dans quel ordre elle posera ses questions.
b. Pendant l'interview, elle essaye d'instaurer, dès le départ, un climat de confiance. Elle écoute attentivement, sans donner son avis. Elle reformule de temps en temps ce que dit son interlocuteur. Elle pose des questions variées.
c. L'objectif d'une interview est de collecter un maximum d'informations.

Activité 2

1. Question ouverte. • 2. relais . • 3. miroir. • 4. ouverte. • 5. fermée. • 6. miroir. • 7. ouverte. • 8. relais. • 9. relais. • 10. relais. • 11. fermée. • 12. fermée. • 13. fermée. • 14. relais.

Activité 3

1-a ; 2-b ; 3-d ; 4-c ; 5-e.

Pour votre information

Certains types d'entretien reposent essentiellement sur le questionnement : c'est le cas, par exemple, de l'entretien d'embauche, de nombreux entretiens téléphoniques, de l'entretien d'accueil, etc. Tout le monde croit savoir poser des questions, mais en réalité, peu de gens maîtrisent les techniques de questionnement. Or, la qualité des réponses dépend en bonne partie des questions posées.

Les questions fermées installent l'interlocuteur dans une position de subordination et doivent être utilisées avec modération. *Ex.* : Est-ce que... ? Avez-vous... ? Êtes-vous... ? Quand ? Où ? Combien ? Qui ? Lequel ? À forte dose, ce type de question transforme le dialogue en un véritable interrogatoire.

Les questions ouvertes obligent l'interlocuteur à mobiliser très vite ses idées. Il est le seul auteur de sa réponse, qu'il peut développer à sa guise. Pour un candidat à l'entretien d'embauche, les questions ouvertes sont les plus difficiles. *Ex.* : Quels sont vos objectifs ? Pourquoi voulez-vous entrer dans notre société ? Comment décririez-vous votre personnalité ? Etc.

Les questions relais invite l'interlocuteur à aller plus loin en apportant des précisions sur ce qu'il vient de dire. Elles sont nécessaires quand il s'exprime difficilement ou avec réserve. Quand il tient un discours vague, elles l'obligent à préciser sa pensée. Elles sont utilisées par l'enseignant qui cherche à faire participer ses élèves, par le vendeur qui veut connaître les besoins du client, par l'avocat qui demande des explications à son client, etc.

Les questions miroirs sont le meilleur moyen de traiter des lieux communs ou des jugements de valeur du genre « les jeunes ne savent plus écrire », « le français est une langue difficile », « il y a trop d'immigrés », etc. Elles sont mal venues quand quelqu'un a du mal à s'exprimer, car en l'obligeant à trop se découvrir, elles finissent par l'inquiéter et créent une tension.

Par exemple :

– Bonjour, comment vous appelez-vous ?

– Félix Beauchamp.

– Beauchamp ?

– Oui, Beauchamp.

– Vous avez quel âge, monsieur Beauchamp ?

– J'ai 25 ans.

– 25 ans ?

– Oui, c'est ça, 25 ans.

– Vous êtes célibataire ?

– Non, je suis marié.

– Marié ?

– Oui, monsieur, marié, ça vous étonne ?

Les questions suggestives sont destinées à amener l'interlocuteur à répondre dans un certain sens. Elles sont fréquemment utilisées par les vendeurs et peuvent prendre trois formes différentes :

– La question interro-négative. (« Vous ne croyez pas que j'ai raison ? »)

– La question-réponse. (« Vous ne comprenez pas, c'est parce que je parle trop vite ? »)

– La question auto-affirmation. (« C'est clair pour tout le monde ? »)

Ces questions, qui enlèvent à celui qui est interrogé une bonne part de son libre-arbitre, ne devraient pas être utilisées pour collecter des informations.

B. Projet de voyage

Suggestions

• Avant l'interview

Les acteurs se font assister d'une équipe de trois à cinq personnes. Cette équipe les aide à se préparer pendant environ quinze minutes. Michèle doit réunir un maximum d'informations sur le pays choisi. Daniel met au point un canevas de questions.

On peut jouer plusieurs fois. Pour cela, il suffit de faire plusieurs équipes. Les pays choisis peuvent être différents d'un jeu à l'autre.

• Après l'interview

Les acteurs donneront d'abord leurs impressions. Daniel a-t-il réussi à collecter toutes les informations qu'il recherchait ? Michèle a-t-elle éprouvé du plaisir à répondre aux questions ? Etc.

Ensuite, le reste du groupe donne son avis. Que sont devenus les canevas pendant l'entretien ? Toutes les questions importantes ont-elles été posées ? Les questions étaient-elles suffisamment variées ? La conversation était-elle naturelle ? L'interview était-elle suffisamment structurée ? Trop structurée ? Etc.

Il est plus intéressant de filmer les interviews et de les commenter en visionnant. S'il y a plusieurs jeux, on les filmera tous l'un à la suite de l'autre. Puis on commentera, en visionnant.

À la croisée des cultures (page 116)

Suggestions

Les étudiants ont le livre fermé. Vous leur racontez l'histoire, telle qu'elle est relatée dans le livre, et vous leur demandez ce qu'ils pensent de l'attitude de Pierre.

Ensuite, tout le monde ouvre son livre, page 116, lit l'histoire, et par groupes de deux, répond aux autres questions. Temps de préparation : 5 minutes. Puis mise en commun.

Il n'y a pas de réponse unique à la question de savoir pourquoi Pierre interrompt la conversation. Demandez à vos étudiants de faire des hypothèses.

Corrigé

Proposition :

• **Pourquoi Pierre interrompt-il brutalement la conversation ?**

Quand il a posé sa question, Pierre voulait engager une conversation « à la française », par un jeu rapide de questions et réponses. Il pensait que Thomas lui répondrait brièvement. Au lieu de cela, Thomas s'est lancé dans une explication longue, très détaillée, et Pierre, lassé, a réussi à s'échapper. Évidemment, Thomas voit les choses autrement. Il pense que Pierre est un grossier personnage. De son point de vue, le Français n'avait pas à poser cette question si la réponse ne l'intéressait pas. Cette explication est suggérée par le document sur « l'art de la conversation ». Mais il y a d'autres explications possibles au comportement de Pierre :

– On peut dire que la réponse de Thomas n'est pas adaptée à la situation. Dans ce genre de soirée, les invités cherchent à engager des conversations anodines – des conversations de salon, comme on dit. Ils ne veulent pas assister à une conférence.

– Si le Français avait vraiment voulu une opinion précise sur le livre, il aurait posé sa question plus tard dans la conversation.

– Pierre vient d'apercevoir un ami très cher, qu'il n'a pas vu depuis des années.

• **Des trois styles de conversation décrits (dans le tableau), pensez-vous qu'un soit meilleur que les autres ?**

Non, parce qu'on peut communiquer de multiples façons, chacun a son style, ses objectifs. Ce qu'il faut, c'est que les interlocuteurs se mettent sur la même longueur d'onde, et ce n'est pas toujours facile. Les Américains disent qu'ils « ont » une conversation (*have a conversation*) avec quelqu'un, alors que les Français peuvent « faire » la conversation.

10 points de vue

1) Lutter contre le chômage (pages 118 et 119)

A. Analyser une situation

• Activité 1, page 118

Suggestions

Mathieu, Amélie et Claude représentent trois différents types de chômeurs. Leur situation, les causes pour lesquelles ces trois personnages sont au chômage, leurs chances de retrouver un emploi sont différentes.

Les étudiants examineront les situations une à une, et, pour chacune d'elles, répondront aux questions **a.**, **b.**, **c.**. La mise en commun se fera après que les étudiants ont répondu, par groupes de deux, aux trois questions.

Corrigé

Proposition :

• *Mathieu, 49 ans, ingénieur*

a. Mathieu a été licencié pour un motif économique : le secteur du bâtiment, dans lequel il travaillait, était en crise. Ce secteur est généralement considéré comme un bon indicateur de la conjoncture économique. Quand le bâtiment va mal, dit-on, l'économie va mal.

b. Mathieu retrouvera-t-il un emploi ? Ses forces : il est qualifié (c'est un ingénieur), il a une longue expérience professionnelle (20 ans de travail). Ses faiblesses : principalement son âge. La situation de Mathieu n'est pas facile : à 49 ans, il est encore jeune, loin de la retraite, et pourtant, sur le marché de l'emploi, il est déjà vieux.

c. Quel(s) conseil(s) peut-on lui donner ? Patience... Quand viendra la reprise économique, le bâtiment sera un des premiers secteurs à en profiter, et il aura de bonnes chances de retrouver un emploi. Mais combien de temps devra-t-il attendre ? Au sortir de ses études, il y a 20 ans, Mathieu pensait qu'il ferait une belle carrière. Aujourd'hui, il n'est plus question de faire carrière, mais plus simplement de trouver un emploi. On peut également suggérer à Mathieu de créer sa propre entreprise. Mais il lui faudra pour cela un projet précis, une forte motivation et un certains esprit d'aventure.

• *Amélie, 20 ans*

a. Elle a quitté l'école sans aucun diplôme. Elle n'a aucune qualification professionnelle.

b. Retrouvera-t-elle un emploi ?

Les petits boulots d'Amélie sont-ils provisoires ? Trouvera-t-elle bientôt un « vrai travail, un travail qu'elle aime » ? Ses forces : sa jeunesse, son optimisme, son dynamisme. Aller de petit boulot en petit boulot est une preuve de dynamisme, et on ne peut pas dire qu'elle manque d'expérience. Ses faiblesses : son manque de formation. Elle n'a aucun diplôme, pas même celui d'une fin d'études secondaires, elle n'a aucune qualification (ce n'est pas avec les petits boulots, purement alimentaires, qu'elle aura appris un métier). Amélie veut travailler dans la mode. Mais a-t-elle déjà travaillé dans ce secteur ? Qu'en sait-elle ? Ne rêve-t-elle pas un peu ?

c. Quel(s) conseil(s) peut-on lui donner ?

Laisser tomber les petits boulots et apprendre un métier. La mode, pourquoi pas ? Mais la mode n'est pas le seul secteur d'activité où on peut exercer un métier intéressant.

• *Claude, 44 ans, ouvrier*

a. L'entreprise pour laquelle Claude travaillait a délocalisé sa production. Résultat : il a été licencié. C'est un licenciement économique, comme celui de Mathieu. Dans les pays industrialisés, les délocalisations sont fréquentes dans les secteurs employant une main-d'œuvre importante et peu qualifiée, comme le secteur textile.

b. Claude retrouvera-t-il un emploi ?

Il a de nombreux handicaps. Comme Mathieu, il n'est plus tout jeune. Il est probablement peu qualifié (son salaire était modeste). Pendant longtemps (25 ans), depuis toujours peut-être, il a travaillé dans la même usine. Cette fidélité à un même employeur peut être perçue comme un manque de dynamisme.

c. Quels conseils peut-on lui donner ?

Chercher ailleurs, dans un autre secteur, dans une autre région, apprendre un autre métier. Facile à dire, évidemment… Il lui sera difficile d'affronter la concurrence des jeunes. Des trois personnages, c'est probablement celui qui se trouve dans la situation la plus délicate.

• Activités 2, 3, page 118
Suggestions
Activité 3

Les étudiants sont invités à s'interroger sur les causes du chômage dans leur propre pays. Si votre classe est constituée d'étudiants de différentes origines, profitez-en pour comparer les situations d'un pays à l'autre.

À partir de ce qui a été dit oralement (exercice **a.**), les étudiants font par écrit le portrait de deux chômeurs « représentatifs » de leur pays ou de deux chômeurs qu'ils connaissent personnellement (exercice **b.**).

On pourra ensuite, comme il a été fait pour Mathieu, Amélie et Claude, analyser la situation de ces chômeurs. Pourquoi sont-ils au chômage ? Quelles sont leurs forces et leurs faiblesses pour retrouver un emploi ? Que peut-on leur conseiller ? Les étudiants répondent à ces questions oralement, en confrontant les points de vue, et/ou par écrit.

Corrigé

Activité 2

1 : à • 2 : de • 3 : au • 4 : du.

Activité 3

Quelques exemples :

• *Maria, 27 ans, vénézuélienne*

Maria a quitté l'école à 16 ans pour s'occuper de son premier enfant. Quelques mois après la naissance du petit, elle a trouvé un emploi de femme de ménage dans un cabinet d'avocats. Mais ses nombreuses absences lui ont valu d'être rapidement licenciée. Aujourd'hui, à 27 ans, Maria est célibataire et mère de cinq enfants. Elle n'a jamais réussi à trouver un emploi stable. Elle va de ménage en ménage, mais le plus souvent, elle n'a pas de travail.

• *Kyoko, 23 ans, japonaise*

Il y a cinq mois, Kyoko est sortie de l'université d'Osaka, avec un diplôme de lettres. Comme la plupart de ses camarades, elle a tout de suite envoyé un CV à un grand nombre d'entreprises. Mais aucune ne lui a répondu favorablement. Aujourd'hui, elle est toujours sans emploi et commence à se décourager. « *Que vais-je devenir?* », se demande-t-elle.

B. Rechercher des solutions

Suggestions

Cette activité est d'abord un exercice d'expression orale. À partir de chacune des solutions proposées, les étudiants sont invités à donner leur point de vue et à débattre. Par groupes de deux à quatre personnes, ils analysent chacune des propositions. Temps de préparation : de 15 à 20 minutes. Puis mise en commun.

L'activité peut se terminer par un ou plusieurs exposés oraux qui doivent, bien entendu, être soigneusement préparés. Sujet de l'exposé : « Le chômage dans mon pays ». Le travail consiste à analyser le problème et à proposer des solutions (voir les techniques d'exposé pages 110 et 111 du livre de l'élève). On peut faire un ou des exposés de courte durée (de 5 à 10 minutes). Le travail peut aussi prendre la forme d'un rapport écrit (pour les techniques de rédaction d'un rapport, voir la leçon 2 de l'unité 7 (travail) : « Aménager l'espace de travail »).

Corrigé

Quelques commentaires :

1. Laisser les entreprises libres de licencier.

Cette proposition revient à moins protéger les travailleurs en assouplissant la législation du travail (qui, par nature, vise à protéger les salariés). Les employeurs embaucheront-ils davantage pour autant ? Pas sûr. La création d'emplois ne dépend pas de la législation du travail.

2. Embaucher plus de fonctionnaires.

Une bonne idée, mais à condition, bien sûr, que les fonctionnaires apportent une réelle contribution à la production. Pour cela, il leur faut rendre un service utile et travailler avec efficacité.

3. Relancer la croissance. Réduire la fiscalité sur les entreprises pour encourager les investissements.

La croissance implique plus de production, plus de consommation, plus d'emplois. Mais quels moyens doit-on utiliser pour relancer la croissance ? C'est toute la question. L'impôt sur les bénéfices constitue la majeure partie de la fiscalité sur les entreprises. Il n'est pas dit qu'en réduisant cet impôt, les entreprises seront plus enclines à investir. Dans un environnement déprimé, impôt ou pas impôt, elles n'investissent pas davantage.

4. Accepter la mobilité géographique (changer de région, voire de pays) **et professionnelle** (changer de métier).

C'est plus facile pour un jeune célibataire que pour un chargé de famille. Malgré l'ouverture des frontières à l'intérieur de l'Union européenne, la mobilité géographique des travailleurs reste très faible.

5. Renvoyer les étrangers dans leur pays.

Il est commode d'attribuer la responsabilité de ses malheurs aux autres. En France, d'un point de vue strictement économique, les étrangers contribuent autant à la production que les nationaux. Humainement parlant, cette proposition n'est pas acceptable.

6. Arrêter les machines modernes.

De tous temps, les travailleurs ont rendu les machines responsables du chômage. Mais la technologie, si elle détruit certains emplois, en crée d'autres. Sans elle, l'entreprise cesse d'être productive et donc compétitive, ce qui, à terme, la conduit à la faillite. Résultat : les travailleurs se retrouvent au chômage.

7. Abaisser l'âge de la retraite.

C'est une « fausse bonne idée ». Il ne servirait pas à grand-chose de remplacer les jeunes chômeurs par de vieux chômeurs. En outre, il serait dommage de se passer de l'expérience des « vieux ». Ces vieux-là sont en bonne santé et peuvent, autant que les jeunes, apporter leur pierre. Ce qu'il faut, c'est que tous, jeunes et vieux, travaillent et participent ainsi à la production.

8. Partager le travail en diminuant le temps de travail, en développant le travail à temps partiel, en allongeant la durée des congés.

Dans les années 60, on pensait, en France, que les travailleurs du XXIe siècle auraient la vie belle. « Ils travailleront moins et gagneront plus », disait-on. Qu'en est-il aujourd'hui ? Il est vrai que, depuis cinquante ans, du moins dans les pays riches, la durée du travail a diminué alors que le niveau de vie a sensiblement augmenté. Mais le chômage est apparu. Ce que les sociétés riches n'ont pas su faire, c'est partager le travail. Les Français ont adopté une loi, dite « loi des 35 heures ». Le temps de travail hebdomadaire est passé de 39 à 35 heures, sans diminution de salaire. Mais cette loi n'a pas eu les effets escomptés sur l'emploi. Les employeurs ont peu embauché. Beaucoup de salariés doivent faire en 35 heures ce qu'ils faisaient auparavant en 39 heures.

9. Subventionner les entreprises.

À l'heure de la mondialisation et de la propagation des conceptions libérales, cette proposition n'est pas dans l'air du temps. Les entreprises devraient créer des emplois parce qu'elles ont besoin de personnel pour se développer, pas dans l'objectif de recevoir des subventions.

10. Renvoyer les femmes à leur foyer.

Dans de nombreux pays – et c'est le cas de la France –, les femmes ont conquis leur indépendance grâce au travail. Peut-on revenir cinquante ans en arrière ?

Pour votre information

Licenciement. En France, dans le secteur privé, un salarié peut demander en justice une indemnité à son employeur s'il estime que le motif de son licenciement n'est pas « sérieux ». Mais il ne peut pas obtenir sa réintégration dans l'entreprise. Dans le secteur public (administrations, entreprises publiques), les salariés bénéficient d'une sécurité de l'emploi quasi absolue.

PIB (produit intérieur brut). Il correspond à la production (richesse) créée pendant un an à l'intérieur d'un pays ou d'un territoire déterminé (PIB de l'Union européenne).

Croissance. Elle correspond à une augmentation du PIB. On dira que la croissance de tel pays est de 2 % si la richesse créée dans ce pays a augmenté de 2 %.

Déficit public. Il y a déficit public quand les dépenses des administrations publiques sont supérieures aux recettes (impôts).

Investissement. Une entreprise réalise un investissement (ou investit) quand elle achète un bien de production durable (c'est-à-dire un bien qu'elle utilisera pendant plus d'un an). *Ex.* : une machine, un camion, du mobilier.

Subvention. Les administrations peuvent verser des subventions à des entreprises ou à des secteurs en difficulté. Mais en avantageant certaines entreprises, les subventions faussent la concurrence. À l'intérieur de l'Union européenne, les aides d'État sont donc strictement contrôlées.

2 Faire face à la mondialisation (pages 120 et 121)

A. Des causes aux conséquences

• Activités 1, 2, 3, page 120
Suggestions
Activité 3. Les étudiants sont invités à s'exprimer sur ce qu'ils savent et pensent de la mondialisation (*globalisation*, en anglais). Tout le monde devrait avoir quelque chose à dire. Des expressions apparaîtront (*libre échange, libéralisation, libre circulation des capitaux,* etc.), qu'il faudra faire retenir et, si besoin, expliquer. Cet exercice permet de réaliser l'activité suivante dans de meilleures conditions.

Corrigé

Activité 1
Trois causes : les progrès de la communication, les progrès du transport, la libéralisation des échanges.

Activité 2
1 : pousse • 2 : permet • 3 : entraîne.

Pour votre information

Les progrès des communications concernent principalement les nouvelles technologies de l'information, comme l'Internet.

Les progrès des transports touchent tous les moyens de transport. Il est devenu plus facile de transporter des marchandises et des personnes, vite et loin, notamment grâce à la démocratisation du transport aérien. En quelques décennies, le monde est devenu plus petit.

La libéralisation des échanges a permis l'essor du commerce international, qui a été multiplié par dix depuis 1945, d'abord grâce au GATT (General Agreement on Tariff and Trade), puis avec l'OMC (Organisation mondiale du commerce), qui a pris le relais du GATT en 1995.

B. Forum Internet (page 120)
Suggestions

Vos étudiants liront tous les messages dans le but de distinguer les partisans et les adversaires de la mondialisation. Au moment de la correction, et à partir de chaque message, on pourra expliquer, commenter, réagir. Les différents points de vue exprimés dans ces messages permettent de nourrir le débat autour de la mondialisation.

Corrigé

Quelques commentaires :

Les opinons sur la mondialisation sont diverses et toutes sont respectables. On peut être d'accord avec les points de vue exprimés dans chacun des messages. On peut aussi être d'un avis différent. Dans les deux cas, l'important est d'apporter des arguments.

• Message de Sirocco

En écrivant que les Américains ont imposé leurs règles, Sirocco se pose en adversaire de la mondialisation. D'après elle, les États, partout dans le monde, n'auraient plus d'autres choix que de s'aligner sur les positions américaines. Il y aurait une « pensée unique », la seule acceptable. Argument contraire : dans bien des domaines, les conceptions libérales ont prouvé leur efficacité.

• Message de Cameroun

Cameroun (c'est le nom d'un pays africain) est contre la mondialisation. Son message répond à celui de Sirocco. Dans ce jeu de la concurrence, explique-t-il, tout le monde s'affronte sur le même terrain. Mais c'est un jeu inique. Les faibles – et il pense sans doute à des pays comme le sien – n'ont aucune chance. Un prix Nobel d'économie, Joseph E. Stiglitz, n'a pas dit autre chose en écrivant que « la libéralisation avait été programmée par les pays riches pour les pays riches ». Argument contraire : la mondialisation est une chance pour les pays en développement. Par exemple, les nouvelles technologies de l'information permettent de diffuser l'information et le savoir dans les coins les plus reculés de la planète (voir la photographie, page 120 du livre de l'élève).

• Message de Gavroche

Il apporte des arguments en faveur de la mondialisation. D'après lui, il est exagéré de parler d'invasion culturelle américaine. Selon lui, la mondialisation n'empêche pas les peuples de préserver leur propre culture. Argument contraire : Ne mange-t-on pas tous au Mac Do ? N'écoute-t-on pas la même musique partout (ou presque) ?

La langue française est-elle sur le point de devenir un dialecte régional ? Questions à débattre.

● **Message de Nelly**

Elle apporte le point de vue du consommateur, favorable à la mondialisation. Argument contraire : bien que les produits soient meilleur marché, tout le monde – loin s'en faut – ne dispose pas d'un pouvoir d'achat suffisant pour consommer.

● **Message d'Annabelle**

Elle s'oppose à la mondialisation et à la concurrence acharnée qui s'ensuit. Pour gagner de l'argent, dit-elle, on est prêt à faire n'importe quoi, y compris à nuire à sa santé et à l'environnement : les vaches mangent de la viande, les organismes sont génétiquement modifiés, etc. Argument contraire : les progrès de la médecine et, plus généralement, les progrès de la science et des techniques n'ont pas que des inconvénients.

● **Message d'Alex**

Le « Vive la mondialisation ! » d'Alex est ironique. En réalité, Alex s'oppose à la mondialisation en dénonçant les effets négatifs de la libre circulation des capitaux. En retirant brusquement leurs capitaux d'un pays, les capitalistes mettent en péril des économies fragiles. Avec la liberté des capitaux, les marchés agissent à leur gré. Ce sont eux qui décident, non plus les États. Conséquence : d'après Alex, les démocraties seraient menacées car les citoyens, comme lui, comme nous, votent pour les représentants d'un État qui n'a plus de pouvoir réel. Argument contraire : les nouvelles technologies de l'information permettent aux citoyens de mieux s'informer et de s'exprimer plus facilement. C'est un atout pour la démocratie.

● **Message d'Inès**

Le « Vive la mondialisation ! » d'Inès est à prendre au pied de la lettre. Inès est favorable à la mondialisation, qui, selon elle, permet de créer des emplois. Elle cite l'exemple de Carrefour. Argument contraire : avec l'arrivée de Carrefour, de nombreux petits magasins ont mis la clé sous la porte.

● **Message de Lili**

Lili est favorable à la mondialisation. Elle reprend l'argument d'un économiste anglais, Ricardo (1772-1823), partisan du libéralisme économique. D'après lui, le libre-échange permettrait aux différents pays de profiter des avantages d'une « division internationale du travail ». Chacun se spécialiserait dans ce qu'il sait le mieux faire. Argument contraire : les pays riches gardent chez eux et pour eux la création de haute valeur ajoutée. Les activités qui exigent une main-d'œuvre peu qualifiée (et mal payée) sont délocalisées dans les pays pauvres. Il en résulte que les activités économiques qui rapportent le plus se trouvent (de plus en plus) concentrées dans les pays riches.

● **Activité 2, page 120**

Suggestions

Les étudiants peuvent soit exprimer un point de vue général sur la mondialisation, soit répondre à un message du forum sur un point particulier.

Corrigé

Proposition :

Répondons, par exemple, au dernier message, c'est-à-dire à Lili (et à Ricardo) :

Message de : français.com

Sujet : RE : La mondialisation m'a apporté…

Soit deux projets industriels : la fabrication de lacets de chaussures et la mise en place d'un laboratoire de recherche biotechnologique.

Soit deux pays : l'Allemagne et la Malaisie.

- *Question 1* : De ces deux pays, lequel fabriquera les lacets de chaussures ?
  a. ❑ Allemagne   b. ❑ Malaisie

- *Question 2* : Lequel fera de la recherche ?
  a. ❑ Allemagne   b. ❑ Malaisie

- *Question 3* : Lequel gagnera le plus d'argent ?
  a. ❑ Allemagne   b. ❑ Malaisie

- *Question 4* : À qui profite la mondialisation ?
  a. ❑ Allemagne   b. ❑ Malaisie

Pour votre information

Libéralisme. Doctrine d'après laquelle le libre-échange et la concurrence doivent être encouragés. L'État intervient peu. Il faut laisser agir les lois « naturelles » de l'économie.

Libéralisation. Le fait de rendre plus libéral : moins d'État, moins de réglementation, plus de liberté économique, etc.

Libre circulation des capitaux. L'argent circule aujourd'hui dans le monde, sans contrôle, et à la recherche d'une meilleure rémunération (intérêts, dividendes, etc.). Il est devenu plus facile d'envoyer à l'étranger quelques millions de dollars (à condition de les avoir, bien sûr) qu'un pot de confiture. Les placements spéculatifs sont de très loin les plus nombreux. Ils constituent des placements à court terme, au contraire des investissements directs (comme la construction d'une usine, qu'on ne pourra pas déplacer du jour au lendemain).

Réduction des dépenses publiques. Diminution des dépenses de l'État qui se traduisent généralement par moins de services publics (éducation, santé, justice, etc.).

Baisse des coûts de la main-d'œuvre. Diminution des salaires et/ou des charges salariales (cotisations sociales).

Valeur ajoutée. Richesse créée. Elle correspond à la différence entre le prix de vente d'un produit et la valeur des matières premières et des services qui ont été consommés par l'entreprise pour fabriquer ce produit. Autrement dit : valeur ajoutée = chiffre d'affaires – consommations intermédiaires.

Flexibilité du travail. Disponibilité de la main-d'œuvre : horaires de travail variables, liberté pour l'employeur d'embaucher et de licencier, etc.

Libre-échange. Système dans lequel les échanges commerciaux entre les États sont libres, et non pas entravés par des obstacles tarifaires (droits de douane) ou non tarifaires (quotas, normes techniques et réglementaires, etc.).

3 Comparer des modèles éducatifs (pages 122 et 123)

A. Systèmes éducatifs)

• Activité 1, page 122

Suggestions

Comme son titre l'indique, cette leçon a pour but de comparer des modèles éducatifs. Le jugement qu'on porte sur l'école diffère selon le point de vue par rapport auquel on se place. Nous appartenons à de nombreux groupes culturels. La famille, la religion, le milieu social et professionnel, l'âge, le lieu d'habitation modèlent nos jugements de valeur.

Dans cette leçon, les étudiants sont invités à porter un jugement sur l'école française avec le regard d'un enfant et avec celui des parents (exercice **a.**). Ils pourront ensuite donner leur point de vue (exercice **b.**).

Corrigé

Proposition :

• **Vous êtes un enfant de 7 ans.** Inconvénients : vous êtes fatigué à la fin de la journée, vous voyez peu vos parents pendant les journées d'école, vous avez des devoirs le soir. Avantages : vous avez de longues vacances.

• **Vous êtes le parent de cet enfant.** Avantages : l'école est gratuite, vous pouvez laisser votre enfant à l'école toute la journée pour aller travailler. Inconvénients : le mercredi, et pendant les longues vacances, vous devez trouver un moyen d'occuper votre enfant, vous ne voyez pas assez votre enfant.

Pour votre information

L'école française : obligatoire, gratuite, laïque

Obligatoire. Elle est devenue obligatoire du fait de la loi : jusqu'à 13 ans (1882), jusqu'à 14 ans (1936), jusqu'à 16 ans (1959).

Gratuite. La gratuité existe depuis 1881 dans l'école primaire et depuis 1933 dans l'enseignement secondaire. Dans l'enseignement supérieur, les étudiants paient des droits d'inscription modiques (environ 200 € par an).

Laïque. En France, l'école respecte toutes les croyances. Mais la religion est considérée comme une affaire privée. L'élève qui entre dans une école publique est prié de ne pas manifester publiquement sa religion.

L'enseignement est un service public mais non un monopole d'État. À côté des écoles publiques, il existe des écoles privées qui dispensent un enseignement religieux. L'État accorde à ces écoles religieuses (presque toutes catholiques) une aide importante, que certains contestent d'ailleurs au nom de la laïcité.

• Activité 2, page 122

Corrigé

D'après l'étudiante, grâce aux associations d'anciens élèves, les grandes écoles constituent des réseaux efficaces. C'est le principal intérêt de ces écoles : on peut profiter des relations du réseau pour trouver un bon emploi.

Pour votre information

Une spécificité bien française : les grandes écoles

Les « grandes écoles » sont des établissements d'enseignement supérieur, souvent gérées par l'État, mais indépendantes des universités. On y accède par un concours qui se prépare en deux ans, après le baccalauréat, dans des classes spéciales des lycées, dites « classes préparatoires ».

Il est difficile de trouver dans d'autres pays un système aussi sélectif qu'en France. Certes, partout, des universités sont considérées meilleures que d'autres. Mais ces universités, aussi réputées soient-elles, accueillent des milliers d'étudiants alors que les « grandes écoles » françaises, peu nombreuses, ne reçoivent chacune que quelques centaines d'élèves (on parle généralement des élèves d'une école et des étudiants d'une université).

Sur 800 000 jeunes d'une classe d'âge, environ 500 000 obtiennent le baccalauréat. Parmi eux, 36 000 s'inscrivent dans une classe préparatoire aux concours des grandes écoles. Environ 4 000, soit 0,5 % de la classe d'âge, réussissent à entrer dans l'une des quelque dix grandes écoles qui comptent en France. De plus, seuls ceux qui ont obtenu le meilleur rang de sortie peuvent prétendre accéder aux plus hautes fonctions.

Parmi les grandes écoles, on peut distinguer :

– Les écoles normales supérieures qui forment des professeurs pour l'enseignement secondaire (lycées) ou supérieur. De ces écoles sont sortis des prix Nobel comme Louis Pasteur, Jean-Paul Sartre (qui a refusé le Nobel), Henri Bergson, Jules Romain, Jean Giraudoux, etc.

– Les écoles d'ingénieur comme l'École polytechnique (créée en 1794) ou l'École centrale. La photo de la page 122 (livre de l'élève) montre des élèves de l'École polytechnique dans leur uniforme de polytechnicien, car l'École polytechnique est aussi une école militaire et les élèves, hommes et femmes, portent un uniforme.

– Les écoles de commerce (qu'il serait plus approprié d'appeler « écoles de gestion » parce qu'on y enseigne autre chose que le commerce), comme HEC (Hautes Études Commerciales), l'ESCP (École supérieure de commerce de Paris), l'ESSEC (École supérieure de sciences économiques et commerciales).

– L'ENA (École nationale d'administration), qui forme les cadres de l'État et aussi, de plus en plus, ceux des grandes entreprises.

B. Méthodes éducatives
• Activité 1, page 123

Corrigé

Chen Yi : contrairement à, au lieu de, autre différence, en revanche. • John : par contre, tandis que. • Momoko : au contraire.

- **Activité 2, page 123**

Suggestions

Ce sujet peut faire l'objet de nombreuses questions : Vos étudiants pensent-ils que le professeur doive garder une certaine distance vis-à-vis des étudiants ? Peut-on apprendre par cœur tout en restant créatif ? Les étudiants doivent-ils donner leur avis ou se contenter d'écouter le professeur ? Etc.

Corrigé

Chine	France	États-Unis	France	Japon	France
Les étudiants travaillent beaucoup. On apprend par cœur. Les élèves se lèvent pour saluer le professeur.	Les étudiants n'ont pas besoin d'apprendre beaucoup. On fait des exercices de réflexion. Les professeurs sont moins respectés.	Les professeurs sont accessibles. Pendant les cours, les étudiants américains prennent facilement la parole.	Les professeurs gardent une certaine distance. Les étudiants français se contentent d'écouter.	On doit se fondre dans le groupe, il ne faut pas se faire remarquer, il est mal vu de s'exprimer individuellement. On apprend à faire attention aux autres, à respecter leur sensibilité.	On est encouragé à se distinguer, à s'exprimer pour défendre son point de vue. On n'hésite pas à critiquer directement les autres.

Comme il a été dit, les appréciations dépendent du point de vue par rapport auquel on se place. John, par exemple, trouve qu'en France, la distance entre le professeur et les étudiants est (trop) longue (« Les professeurs gardent une certaine distance. ») alors que, pour Chen Yi, elle est (trop) courte (« Le professeur est loin d'être aussi respecté. »). De même, vos étudiants réagiront certainement en fonction du système éducatif qui est le leur.

4. Faire un tour de la presse (pages 124 et 125)

A. Affaires de justice

- **Activité 1, page 124**

Corrigé

1. tribunal • 2. procureur • 3. prison • 4. permis • 5. gouvernement • 6. infraction • 7. amende • 8. salaire • 9. ministre.

- **Activité 2, page 124**

a. Complétez. (page 124)

Corrigé

1. bien que • 2. malgré • 3. pourtant.

b. Donnez un titre. (page 124)
Suggestions

Les étudiants cherchent un titre à deux. Mais avant cela, demandez-leur quelles sont, d'après eux, les qualités d'un bon titre de presse. Apprenez-leur quelques techniques de base pour écrire un bon titre.

Corrigé

Quelques propositions :

« Le cas du collégien Julien : une mauvaise note de 10 000 € », « De mauvais résultats scolaires devant la justice ».

Pour votre information

Comment faire un bon titre
Le titre doit être plein.

Il existe deux sortes de titres : les titres creux et les titres pleins. Les titres creux définissent le cadre du sujet. Les titres pleins vont plus loin : ils en donnent le contenu. À l'école, on apprend à faire des titres creux. S'il faut parler des ordinateurs, les élèves choisiront comme titre « Les ordinateurs ».

L'inconvénient, c'est qu'un tel titre n'apporte aucune information sur l'intérêt du sujet. Pour savoir ce qu'il en est, le lecteur doit lire tout le texte.

Mais les lecteurs de journaux ne lisent que ce qui les intéresse. Ils ne veulent pas perdre de temps. C'est pourquoi les journalistes écrivent toujours des titres pleins. Au lieu d'écrire simplement : « Les ordinateurs », ils choisiront d'écrire : « Les nouveaux ordinateurs : moins chers et plus efficaces » ou « Dix façons de travailler sans ordinateurs » ou « Les ordinateurs sont dangereux pour la santé ». Le titre contient déjà une information. De cette façon, l'intérêt du sujet apparaît immédiatement, et le lecteur est plus incité à lire.

Bref, dans la presse, il ne faut pas donner un titre qui ne signifie rien si on ne lit pas l'article : la plupart des gens ne lisent pas l'article.

Titres creux	Titres pleins
Accidents de la route	Week-end meurtrier sur les routes : 67 morts
La publicité et les femmes	La publicité maltraite les femmes
Démographie européenne	Dernier recensement : l'Europe vieillit
Inégalités sociales	Les riches encore plus riches, les pauvres encore plus pauvres

Le titre doit être clair.

Mieux vaut éviter les titres à astuces : jeux de mots difficiles, allusions tordues et autres obscurités.

Il n'est pas interdit d'écrire des titres longs.
À condition toutefois que le titre transmette une information, et si possible de manière percutante. *Ex.* : « Comment réussir dans les affaires avec une intelligence moyenne et sans se fatiguer. ».

Les « deux points » (:) sont un signe de ponctuation très utile.
Ils permettent d'éviter les « que », les « dont », les « de ». *Ex.* : Plutôt que d'écrire : « La politique des pouvoirs publics en matière de réglementation du commerce électronique », on choisira comme titre « Commerce électronique : la politique des pouvoirs publics ».

Le titre est un résumé de l'article.
Il vaut mieux l'écrire en dernier.

c. Si vous étiez le juge… (page 124)

Corrigé

Proposition :

Les parents du petit Julien seront très certainement déboutés de leur demande.
Pourquoi ? Parce que les professeurs, comme les médecins, ont une obligation de moyens et non une obligation de résultat. Cela veut dire que leur responsabilité n'est pas engagée du seul fait que le résultat n'est pas atteint. Les parents du petit Julien devront apporter la preuve, d'une part, que Mme Valette a commis une faute (par exemple, elle jouait aux cartes avec Julien) et, d'autre part, que cette faute a été la cause directe des mauvais résultats du collégien. Une preuve bien difficile à rapporter.

Pour votre information

Obligation de moyens. Obligation, pour une personne, non de parvenir à un résultat déterminé, mais de faire son possible pour y parvenir. *Ex.* : obligation, pour le médecin, non de guérir, mais de soigner avec science et conscience. Pour engager la responsabilité de cette personne, il faut prouver qu'elle a fait preuve d'imprudence ou d'incompétence.

Obligation de résultat. Obligation, pour une personne de parvenir à un résultat déterminé. *Ex.* : obligation, pour le transporteur, de conduire le voyageur à destination. La responsabilité de cette personne est engagée par le seul fait que le résultat n'est pas atteint.

B. Dernières informations
• Activité 1, page 125

Corrigé

Exercice a.
1. « Bébés sur mesure : c'est pour demain. »
2. « Le petit écran lui offre des idées macabres. »
3. « Trilingue et au chômage ».

Exercice c.

Proposition :

• **Bébé sur mesure, c'est pour demain.**

L'article paru dans votre journal de ce mois-ci et intitulé « Bébé sur mesure : c'est pour demain » a attiré mon attention. Permettez-moi de contester l'idée selon laquelle les manipulations génétiques ont seulement des avantages.

Bientôt, voilà ce qui nous attend : nous autres humains seront divisés en deux classes. Il y aura d'un côté, les « Gènes riches » et de l'autre, les « Naturels ». Les « Gènes riches » viendront de familles qui auront dépensé beaucoup d'argent dans la conception génétique de leurs enfants. Ils seront « parfaits » : beaux et intelligents, comme peuvent l'être les ordinateurs. Les autres, la grande majorité, ceux qui n'ont pas les « moyens », resteront des « Naturels », pareils aux humains que nous sommes aujourd'hui. Les « Gènes riches », bien que minoritaires, domineront les « Naturels ». C'est ainsi que j'imagine nos sociétés dans... disons un siècle. Si les choses se passent ainsi, on ne peut pas dire que les manipulations génétiques n'ont que des avantages.

• **Le petit écran lui donne des idées macabres.**

L'article paru dans votre journal de ce mois-ci et intitulé « Le petit écran lui donne des idées macabres » a attiré mon attention. Permettez-moi de contester l'idée selon laquelle la télévision est responsable de la criminalité.

Une personne ne devient pas un criminel parce qu'elle voit des spectacles de violence à la télévision, mais parce qu'elle vit dans un environnement agressif. Prenons le cas d'un enfant qui vit dans une famille déchirée et dont les parents se disputent sans arrêt. Il y a de fortes chances pour qu'il soit agressif, à l'image de ce qui se passe autour de lui. Mais la violence à la télévision n'a aucune influence sur un enfant qui vit dans une famille harmonieuse et dont les parents s'occupent régulièrement.

• **Activité 2, page 125**

Suggestions

Exercice a. Les étudiants sélectionnent, puis traduisent en français les titres qu'ils rencontrent dans la presse de leur pays.

Exercice b. Avant qu'ils ne fassent l'exercice, apprenez à vos étudiants quelques techniques de base pour rédiger un bon article, en prenant exemple sur des articles tirés de la presse francophone.

Une autre activité intéressante consiste à réaliser un journal radiophonique. Pour cela, la classe est divisée en groupes de quatre à sept personnes. Les membres des différents groupes s'organisent comme ils veulent pour créer leur journal. À l'intérieur d'un groupe, chacun réalise un reportage dans un domaine particulier de l'actualité : politique, économie, affaires internationales, culture, sciences, sports, faits divers, etc. Dans chaque groupe, une personne tient le rôle du journaliste animateur : il doit organiser son journal, passer la parole aux uns et aux autres. Chaque groupe enregistre son journal. Puis la classe écoute, et commente. Durée d'un journal : 10 minutes.

Pour votre information

Comment faire pour rédiger un article de presse

Commencer par le plus important. À l'école, on apprend à conclure en dernier. Or c'est la conclusion qui est toujours la partie la plus importante, la plus intéressante. Dans un article, il faut la mettre en tête, et non à la fin. Et la synthèse de la conclusion d'un bon article, c'est souvent son titre ! En livrant sa conclusion dès le départ, le journaliste invite le lecteur à aller plus loin pour connaître les détails. De même, dans chaque paragraphe, il placera en tête l'information la plus importante. De cette façon, petit à petit, le lecteur poursuivra sa lecture jusqu'à la fin.

Raconter des histoires. L'information intéressante, la nouveauté, ce qui intéresse le lecteur, est toujours dans le particulier, pas dans le général. Dans un article, il faut créer des personnages, raconter des histoires, faire des dialogues.

Écrire simplement. Appelez un chat un chat, écrivez des mots courts, des mots courants pour faire comprendre, des mots concrets pour faire voir. Évitez le jargon, l'abstraction, préférez la voix active à la voix passive, bref, parlez au lecteur et parlez-lui personnellement. Dans l'écrit journalistique, il faut tirer l'écrit vers la parole. Il n'y a aucune honte à être compris du premier coup.

À la croisée des cultures (page 128)

Suggestions

La classe répond par groupes de trois à quatre personnes aux deux premières questions : Vrai ou faux ? Où sont-ils ?

Une fois les groupes formés, les étudiants lisent le texte et répondent à la première question : Vrai ou faux ? Temps de préparation : 10 minutes. Puis mise en commun. Cette première question permet de s'assurer que le texte est bien compris de tous.

Pour la deuxième question (Où sont-ils ?), chaque groupe doit s'entendre sur une même réponse. Temps de préparation : 5 minutes. Puis mise en commun. Demandez à vos étudiants de justifier leur réponse. *Ex.* : Qu'est-ce qui vous fait dire que les Nacirémas viennent de la forêt amazonienne ?

La troisième et dernière question (Qu'en pensez-vous ?) permet de s'interroger sur quelques aspects de la culture occidentale. Comment justifier le statut des médecins dans nos sociétés ? Rester jeune et en bonne santé est-il devenu un objectif de vie ? Y a-t-il une part de magie dans nos pratiques médicales ? Etc.

Corrigé

• **Vrai ou faux ?**

Vrai : 2, 4, 5. Faux : 1, 3.

• **Où sont-ils ?**

En verlan (à l'envers), « Naceréma » signifie « Américain ». Les Nacirémas sont donc les Américains, et plus largement les Occidentaux. Le texte est un pastiche d'écriture anthropologique.

Un fois qu'on sait cela, il est facile de comprendre que les sorciers sont les médecins, les botanistes les pharmaciens, les vestales servantes les infirmières, les écouteurs les psychanalystes, le *latipso* l'hôpital (en verlan), etc.

De nombreux étudiants – la majorité souvent – ne trouvent pas la bonne réponse à la deuxième question (Où sont-ils ?). Ils disent que les Nacirémas viennent des forêts amazoniennes ou des toundras africaines. Ces réponses sont difficilement justifiables (les Nacirémas n'aiment pas montrer leur corps).

Faire le point

Corrigé

1 Prise de contact
Pages 18-19

A. Le point de grammaire

1-b; 2-c; 3-a; 4-c; 5-c; 6-c; 7-b; 8-c; 9-d; 10-a; 11-a; 12-b; 13-c; 14-b.

B. Le bon choix

1 : Entretien 2-c. Entretien 3-d. Entretien 4-a; 2-c; 3-c; 4-b; 5-a; 6-b; 7-c; 8-c; 9-c; 10-b.

2 Agenda
Pages 30-31

A. Le point de grammaire

1-c ; 2-b ; 3-c ; 4-c ; 5-c ; 6-c ; 7-d ; 8-d ; 9-b ; 10-d ; 11-a ; 12-a ; 13-b ; 14-a.

B. Le bon choix

1-b ; 2-b ; 3-c ; 4-a ; 5-d ; 6-a ; 7-d ; 8-c ; 9-b ; 10-b.

3 Voyage
Pages 42-43

A. Le point de grammaire

1-a ; 2-a ; 3-b ; 4-a ; 5-b ; 6-d ; 7-d ; 8-c ; 9-b ; 10-a ; 11-a ; 12-b ; 13-d ; 14-b.

B. Le bon choix

1-b ; 2-c ; 3-a ; 4-a ; 5-c ; 6-a ; 7-c ; 8-b ; 9-a ; 10-c.

4 Hôtel
Pages 54-55

A. Le point de grammaire

1-a ; 2-d ; 3-b ; 4-c ; 5-c ; 6-a ; 7-b ; 8-b ; 9-b ; 10-b ; 11-a ; 12-a ; 13-d ; 14-d.

B. Le bon choix

1-a ; 2-b ; 3-c ; 4-a ; 5-a ; 6-c ; 7-c ; 8-b ; 9-b ; 10-c.

5 Restauration
Page 66-67

A. Le point de grammaire
1-a ; 2-d ; 3-a ; 4-d ; 5-a ; 6-c ; 7-b ; 8-d ; 9-a ; 10-b ; 11-a ; 12-b ; 13-b ; 14-c.

B. Le bon choix
1-b ; 2-a ; 3-b ; 4-b ; 5-a ; 6-b ; 7-c ; 8-d ; 9-c ; 10-a ; 11-d ; 12-b.

6 Entreprises
Pages 78-79

A. Le point de grammaire
1d ; 2a ; 3c ; 4b ; 5b ; 6a ; 7d ; 8a ; 9c ; 10a ; 11d ; 12b ; 13a ; 14c.

B. Le bon choix
1b ; 2c ; 3a ; 4c ; 5a ; 6a ; 7c ; 8c ; 9b ; 10b.

7 Travail
Pages 90-91

A. Le point de grammaire
1-b ; 2-b ; 3-d ; 4-a ; 5-d ; 6-a ; 7-a ; 8-a ; 9-a ; 10-c ; 11-c ; 12-b ; 13-b ; 14-d.

B. Le bon choix
1-c ; 2-d ; 3-c ; 4-a ; 5-a ; 6-b ; 7-d ; 8-a ; 9-c ; 10-a.

8 Recherche d'emploi
Pages 102-103

A. Le point de grammaire
1b ; 2b ; 3d ; 4a ; 5b ; 6b ; 7d ; 8b ; 9b ; 10a ; 11a ; 12d ; 13d ; 14b.

B. Le bon choix
1a ; 2c ; 3b ; 4d ; 5a ; 6b ; 7b ; 8b ; 9c ; 10b.

9 Prise de parole
Pages 114-115

A. Le point de grammaire
1d ; 2d ; 3a ; 4d ; 5b ; 6b ; 7a ; 8b ; 9d ; 10d ; 11b ; 12d ; 13b ; 14b.

B. Le bon choix
1b ; 2b ; 3b ; 4d ; 5d ; 6b ; 7c ; 8b ; 9b ; 10d.

10 Points de vue

Pages 126-127

A. Le point de grammaire

1b ; 2d ; 3c ; 4a ; 5b ; 6c ; 7c ; 8b ; 9b ; 10b ; 11a ; 12d ; 13c ; 14b.

B. Le bon choix

1b ; 2b ; 3d ; 4b ; 5d ; 6b ; 7d ; 8c ; 9c ; 10b.

grammaire

Corrigé

1 L'expression du lieu (page 130)

A. (1) de ; (2) à ; (3) de ; (4) en ; (5) en ; (6) au ; (7) du ; (8) en ; (9) en ; (10) au ; (11) en ; (12) de ; (13) la.

B. (1) à ; (2) au ; (3) là ; (4) au bout ; (5) au ; (6) à droite ; (7) tout droit ; (8) dans ; (9) jusqu'au ; (10) dessus ; (11) à ; (12) face ; (13) là.

2 L'interrogation directe (page 131)

A. 1 : qui ; 2 : quoi ; 3 : quoi ; 4 : qui ; 5 : qui.

B. 1 : quel ; 2 : Quels ; 3 : laquelle ; 4 : quelle.

C. 1 : Quelle ; 2 : où, en ; 3 : quoi ; 4 : comment ; 5 : pourquoi ; 6 : Que : 7 : qui ; 8 : Quels.

D. 1. Pour quelle raison a-t-elle refusé ce travail ? Pour quelle raison est-ce qu'elle a refusé ce travail ? Elle a refusé ce travail pour quelle raison ? • 2. Qu'as-tu fait hier soir ? Qu'est-ce que tu as fait hier soir ? Tu as fait quoi hier soir ? • 3. Dans quel hôtel êtes-vous descendu ? Dans quel hôtel est-ce que vous êtes descendu ? Vous êtes descendu dans quel hôtel ? • 4. Se sont-ils déjà rencontrés ? Est-ce qu'ils se sont déjà rencontrés ? Ils se sont déjà rencontrés ? • 5. Quelle route as-tu prise ? Quelle route est-ce que tu as prise ? Tu as pris quelle route ?

3 L'expression de la quantité (pages 132-133)

• Exercices, page 132

A. 40 − 2 = 38 ; 13 x 2 = 26 ; 72 : 6 = 12.

B. 1 : Cent quatre-vingt onze moins quarante égalent cent cinquante et un. 2 : Dix-huit multiplié par quatre égalent soixante-douze. 3 : Trois cent quatre-vingt un divisé par trois égalent cent vingt-sept.

C. a : 4 ; b : 7 ; c : 5 ; d : 9 ; e : 8 ; f : 10 ; g : 3 ; h : 6 ; i : 1 ; j : 2.

D. 1 : 100 ; 2 : 72 ; 3 : 36 ; 4 : 640.

• Exercices, page 133

A. 1 : quelques ; 2 : quelqu'un, quelque chose ; 3 : quelque chose ; 4 : quelques-unes.

B. 1 : toute ; 2 : toutes ; 3 : tout ; 4 : tous ; 5 : tous ; 6 : tout.

C. (1) du ; (2) du ; (3) le ; (4) du ; (5) du ; (6) de la ; (7) les ; (8) des ; (9) les.

D. (1) du ; (2) ni ; (3) ni ; (4) encore ; (5) aucun ; (6) le ; (7) rien.

4 Les pronoms compléments (page 134)

A. (1) me , (2) me ; (3) la ; (4) lui ; (5) m' ; 6 : vous ; (7) me ; (8) me ; (9) lui ; (10) lui ; (11) vous ; (12) la ; (13) la ; (14) vous ; (15) lui.

B. 1 : lui, y ; 2 : en, en, en ; 3 : la ; 4 : le ; 5 : lui, en ; 6 : les, lui, les.

5 ▶ Le passé composé et l'imparfait (page 135)

A. 1 : était, est arrivé ; 2 : a donné, supportait ; 3 : ai rencontré, parlait ; 4 : était, a construit ; 5 : prenait, a décidé.

B. Le lundi 2 août, je **suis arrivé** à Paris. Je **suis descendu** à l'hôtel Tronchet. Le matin du premier jour, j'**ai pris** un taxi et je **suis parti** visiter la Tour Eiffel. Mais il y **avait** trop de touristes. Il **fallait** attendre au moins une heure dans la queue. J'**ai laissé** tomber et je **suis allé** au Louvre.

J'**ai décidé** de prendre le métro pour la première fois. J'**avais** un peu peur de me perdre, mais tout s'**est** bien **passé** : j'**ai** très facilement **trouvé** mon chemin. À l'entrée du Louvre, il n'y **avait** pas de queue du tout. Quelle chance, me **suis**-je **dit**. En fait, ce jour-là, comme chaque mardi, le musée **était** fermé.

Alors, je **suis allé** dans les jardins du Louvre. Quand je me **promenais**, un terrible orage **a éclaté**. Je **suis entré** dans un café et j'**ai bu** une bière. Au moment de payer, plus de portefeuille ! Le garçon **était** en colère... et moi aussi ! Voilà comment s'**est passée** ma première journée à Paris.

6 ▶ L'expression du temps (page 136)

A. 1 : dans ; 2 : en ; 3 : dans ; 4 : en.

B. 1 : depuis ; 2 : il y a ; 3 : depuis ; 4 : depuis ; 5 : depuis.

C. 1 : le ; 2 : au ; 3 : en : 4 : à ; 5 : ce.

D *(proposition).* 1 : pour deux jours ; 2 : en quelques mois ; 3 : à 9 heures ; 4 : depuis hier ; 5 : en une heure et demie ; 6 : ce soir ; 7 : à partir de demain.

E. 1 : dès que ; 2 : après ; 3 : avant de ; 4 : depuis ; 5 : jusqu'à ; 6 : depuis que ; 7 : avant qu' ; 8 : jusqu'à ce qu'.

7 ▶ Le discours indirect (page 137)

A. Il demande / veut savoir s'il y a un train pour Venise aujourd'hui, quels sont les horaires de train, combien de temps dure le voyage, ce qu'il doit faire s'il rate son train, ce qui est indiqué sur le billet de train.

B. Charlotte a laissé un message. Elle a dit :
– qu'elle **avait** une bonne nouvelle à m'annoncer,
– qu'elle **avait trouvé** un travail à Paris,
– qu'elle **avait** déjà **acheté** son billet de train,
– qu'elle **partait** demain,
– qu'elle **irait** chez Antoine en arrivant,
– qu'il **voulait** bien l'héberger,
– mais qu'elle **préférait** habiter seule,
– et qu'elle **était** bien **décidée** à se mettre tout de suite à la recherche d'un appartement,
– que d'après Antoine, ce ne **serait** pas si facile à trouver,
– que je **pouvais** toujours la joindre sur son portable,
– qu'en tout cas, elle m'**appellerait** dans quelques jours,
Elle m'a demandé :
– comment tu **allais**,
– si tu **avais changé** de travail,
– de t'embrasser de sa part.

8 **Les pronoms relatifs** (page 138)

A. 1 : qu', qui ; 2 : que, qui ; 3 : ce qui, ce que.

B. 1 : qui ; 2 : où ; 3 : dont.

C. (1) laquelle ; (2) que ; (3) sous lequel ; (4) laquelle ; (5) qui ; (6) auquel ; (7) au milieu duquel ; (8) sur laquelle ; (9) par laquelle ; (10) ce qui.

9 **Le subjonctif** (page 139)

A. Il faut : 1. Qu'on sache d'abord quand et où se réunir. 2. Qu'on choisisse une date et une heure. 3. Qu'on fasse la liste des participants. 4. Qu'on retienne une salle. 5. Qu'on soit ponctuel, qu'on maîtrise le temps. 6. Qu'on lise et qu'on suive l'ordre du jour. 7. Qu'on prenne des notes. 8. Qu'on établisse un plan d'action pour la salle. 9. Qu'on remette la salle en ordre. 10. Qu'on écrive un compte rendu. 11. Qu'on prévoie la prochaine réunion.

B. 1 : soit ; 2 : aille ; 3 : prenne ; 4 : obéisse ; 5 : puisse.

C. 1 : sait ; 2 : êtes ; 3 : rende visite ; 4 : écoutez ; 5 : parliez ; 6 : fasse.

10 **L'expression de la comparaison, de la condition, de l'hypothèse** (page 140)

A. 1 : plus… qu' ; 2 : autant de… que ; 3 : moins… qu' ; 4 : moins… qu' ; 5 : plus… que.

B. 1 : mieux, le meilleur ; 2 : meilleur, mieux, mieux.

C. 1 : voulait ; 2 : restes ; 3 : demandais ; 4 : avait offert ; 5 : te trompes.

D. 1b ; 2d ; 3a ; 4e ; 5c.

11 **L'expression de la cause, de la conséquence** (page 141)

A. (1) comme ; (2) grâce à ; (3) en effet ; (4) sous prétexte qu' ; (5) à cause de ; (6) pourquoi ; (7) faute de.

B. 1d ; 2e ; 3a ; 4b ; 5c.

12 **L'expression du but, de l'opposition, de la concession** (page 142)

A. 1c ; 2d ; 3e ; 4a ; 5b.

B. 1 : Au lieu de ; 2 : Contrairement à : 3 : alors que (tandis que) ; 4 : en revanche (par contre) ; 5 : Pendant que ; 6 : à l'opposé de.

C. 1 : à moins que ; 2 : même si ; 3 : malgré ; 4 : beau ; 5 : sans ; 6 : bien que (quoique) ; 7 : quand même (tout de même).

13 **Tableaux des conjugaisons** (pages 143 à 145)

• **Exercice page 143**

(1) voit ; (2) apparaissent ; (3) lit ; (4) sculpte ; (5) peint ; (6) joue ; (7) écrit ; (8) se passionne ; (9) étudie ; (10) obtient ; (11) interrompt ; (12) se rend ; (13) vit ; (14) part ; (15) apprend ; (16) poursuit ; (17) naît ; (18) veut ; (19)) acquiert ; (20) conduisent ; (21) réussit ; (22) va ; (23) crée ; (24) connaît ; (25) devient ; (26) reçoit ; (27) finit.

• Exercice page 144

Lion : serez, obtiendrez, sera, fera. • *Bélier* : appréciera, (ce) sera, contrariera. • *Capricorne* : manqueront, viendra, régleront. • *Verseau* : aurez, pourrez, devront, faudra. • *Vierge* : réservera, décevront, saurez. • *Balance* : surviendra, recevrez, surprendront. • *Poisson* : connaîtrez, savourerez.

• Exercice page 145

(1) rendu ; (2) plu ; (3) sortie ; (4) restée ; (5) fait ; (6) lu ; (7) reçu ; (8) venue ; (9) déjeuné ; (10) allées ; (11) invitée ; (12) tenu ; (13) vu ; (14) disparu ; (15) fâchée.

Les expressions
de la correspondance commerciale

Suggestions

On ne peut pas rédiger une lettre commerciale sans utiliser certaines des formules « toutes faites » présentées dans les tableaux des pages 146 et 147. Vos étudiants n'ont nullement besoin de les apprendre par cœur, mais ils doivent savoir les utiliser. Permettez-leur d'avoir ces tableaux sous les yeux toutes les fois qu'ils rédigent une lettre. Ils y trouveront les formules les plus courantes, la liste n'étant évidemment pas exhaustive.

Commentez ces tableaux un à un et demandez à vos étudiants de faire les exercices correspondant au fur et à mesure.

Pour l'**exercice B** de la page 146, faites en sorte que la consigne soit suivie à la lettre. Les étudiants doivent se contenter d'écrire la première phrase, à l'aide des expressions du tableau 2, et rien de plus. La rédaction d'une lettre comporte plusieurs étapes et on ne doit pas tout dire dès la première phrase. Corrigez cette première phrase. Dans un second temps, après avoir commenté tous les tableaux, vous pourrez leur demander d'écrire des lettres complètes à partir des sujets proposés dans cet exercice.

Suggérez-leur de s'exprimer aussi simplement que possible. L'objectif est de transmettre un message. L'écrit professionnel, rappelons-le, n'est pas un écrit littéraire. Il est froid et efficace. Ce n'est pas un exercice de style.

Corrigé

Propositions :

Exercice A

Cette lettre étant envoyée à Air France, et à personne en particulier, le titre de civilité peut être soit « Madame, Monsieur, », soit « Messieurs, ».

Exercice B

1. « Je fais référence à votre offre d'emploi parue dans le Journal du Bon Pain du 3 mars pour le poste de boulanger. » (Il faudra solliciter l'emploi dans le paragraphe suivant. Mais pour l'instant, les étudiants se contenteront d'écrire la première phrase. Chaque chose en son temps.)

2. « J'ai bien reçu ta lettre du 10 mai par laquelle tu me demandes de te trouver un stage dans une entreprise de mon pays. »

3. « Je vous remercie de m'avoir livré ce jour les livres relatifs à ma commande du 15 janvier. » Autre possibilité : « J'ai bien reçu les livres que j'avais commandés le 15 janvier. ». « Bien reçu » signifie que la livraison a eu lieu, non que tout soit parfait. Dans la suite de la lettre, il faudrait expliquer le problème (Toutefois, il manque un livre) et formuler une demande (Je vous demande donc d'envoyer le livre manquant).

4. On fait référence à ce qui s'est passé, c'est-à-dire à la première lettre et à la facture : « Je me réfère à ma lettre du … par laquelle je vous demandais le paiement de la facture A321. ». (Pour la suite de la lettre, on devra expliquer le problème, formuler une demande, conclure et saluer : « Or je constate que cette facture est restée impayée à ce jour. Je vous demande donc de la payer dans les meilleurs délais. Je vous en remercie par avance et vous prie de recevoir… »)

Exercice C

(1) intéressée ; (2) disposée ou prête ; (3) plaisir ; (4) mesure ; (5) sommes ; (6) l'obligation ; (7) reconnaissants ; (8) convenu.

Exercice D

1. Je regrette de ne pas pouvoir vous donner satisfaction. • 2. Je vous prie d'excuser cet incident. • 3. Je reste dans l'attente de votre réponse. • 4. Avec mes remerciements, … + formule de salutation (comme le service a déjà été rendu, il ne faut pas envoyer de remerciements anticipés). • 5. Je reste à votre disposition pour tout renseignement complémentaire.

Exercice E

1. Je vous prie de recevoir, Monsieur le Directeur, mes salutations respectueuses. • 2. Amicalement. • 3. « Meilleures salutations » ou, plus amical, « Cordiales salutations »

Pour votre information

Tableau 1

Il y a d'autres titres de civilité que ceux indiqués dans le tableau. Par exemple : « Cher Monsieur », « Chère Madame », « Cher client », « Cher Maître » (à un avocat), etc.

Tableau 2

On commence une lettre en expliquant ce qui s'est passé et qui appelle cette lettre. S'il ne s'est rien passé et si on écrit pour la première fois, on entre directement dans le vif du sujet (→ tableaux 3 et suiv.)

Expliquer ce qui s'est passé, c'est souvent faire référence à la lettre à laquelle on répond. Beaucoup de lettres commencent donc ainsi : « J'ai bien reçu votre lettre du 3 mars ». Ne pas oublier de préciser la date de la lettre reçue. La correspondance commerciale doit être précise, et la précision s'exprime le plus souvent par des chiffres et par des dates. On peut rappeler succinctement l'objet de la lettre reçue. Par exemple : « J'ai bien reçu votre lettre du 3 mars par laquelle vous m'informez de l'ouverture de votre restaurant » ou « … par laquelle vous me demandez de payer la facture A323 ».

Comme il est précisé dans ce tableau 2, on peut également faire référence à autre chose qu'une lettre : mail, annonce, entretien téléphonique, etc. Par exemple : « Je fais suite à notre entretien téléphonique du 3 mars (au cours duquel vous m'avez informé de / que…) ».

Certaines formules, très courantes, du type « À la suite de…, », « Suite à …, », « En réponse à…, », « En référence à…, » n'apparaissent pas dans ce tableau 2. Il est préférable de les utiliser seulement dans des lettres simples et courtes. Par exemple : « À la suite de votre demande du 3 mars, veuillez trouver ci-joint votre certificat de travail ». Avec ces formules, en effet, qui permettent de faire référence à ce qui s'est passé, on ne peut pas faire autrement que de compléter la phrase par une autre information. Résultat : la phrase risque d'être longue, trop longue. *Ex.* : « À la suite de votre lettre du 3 mars par laquelle vous nous informez que les marchandises faisant l'objet de votre commande du 5 février vous ont été livrées avec retard de 4 jours, nous avons le plaisir de vous informer que nous avons décidé de vous accorder, à titre de dédommagement, un rabais exceptionnel de 15 % sur votre prochaine commande ». Il aurait été préférable de couper la phrase : « Nous avons bien reçu votre lettre du 3 mars par laquelle vous nous informez que les marchandises faisant l'objet de votre commande du 5 février vous ont été livrées avec retard de 4 jours. Nous avons le plaisir de vous informer que... ». D'une façon générale, plus la phrase est courte, plus elle est facile à lire... et à écrire.

Comme il est dit au bas du tableau 2, on peut également commencer une lettre en racontant ce qui s'est passé, sans utiliser ces formules qui, finalement, alourdissent considérablement le texte. C'est le cas de la lettre de Corinne dans l'exercice A. Si l'histoire est simple, il suffira de quelques phrases pour la raconter. Si l'affaire est complexe, on fera plusieurs paragraphes.

Dans ces tableaux, les verbes sont donnés à la première personne du singulier (« *Je* me réfère à... »). Toutefois, quand on écrit dans le cadre des ses activités professionnelles, et au nom d'une entreprise, il est préférable d'écrire à la première personne du pluriel (« *Nous* nous référons à... »). En tout cas, il faut choisir l'une ou l'autre forme et ne pas utiliser dans une même lettre tantôt le « je », tantôt le « vous ».

Tableau 3
On peut également informer directement, sans utiliser de formule. Par exemple :
« Cher client,
Notre restaurant ouvrira... »

Tableau 5
« Je vous prie de bien vouloir... » est la formule la plus courante et la plus neutre.

Tableau 6
« Ci-joint » et « sous ce pli » (moins fréquent) sont deux expressions synonymes. On plie une feuille pour faire une enveloppe, ou une feuille cartonnée pour faire un colis. Dans les deux cas, enveloppe ou colis, il s'agit d'un pli.

Tableau 7
Les expressions « être intéressé par » et « s'intéresser à » sont suivies d'un substantif et non d'un verbe. Les Anglophones traduiront « I am interested in doing... » par « Je souhaiterais faire... ».

Tableaux 8 et 9
Quand on répond négativement à une demande, quand on annonce une mauvaise nouvelle, on dira qu'on est « dans l'impossibilité de » ou qu'on est « obligé de ». Par exemple, plutôt que d'écrire « Je ne pourrai pas assister à la réunion du... », on écrira « Je suis dans l'impossibilité d'assister à la réunion du... ».

Tableau 12
Des formules comme « Meilleures salutations » ou « Cordiales salutations » sont de plus en plus fréquentes dans les lettres et sont la règle dans les e-mails.

Édition : Marie-Christine Couet-Lannes
Conception graphique : Nicole Sicre

ISBN : 209033173-9

Achevé d'imprimer sur les presses de
SNEL Grafics sa
rue Saint-Vincent 12 – B-4020 Liège
Tél +32(0)4 344 65 60 - Fax 32(0)4 341 48 41
août 2004 — 32446

N° d'éditeur : 10117762 - LO/CGI - août 2004

Imprimé en Belgique